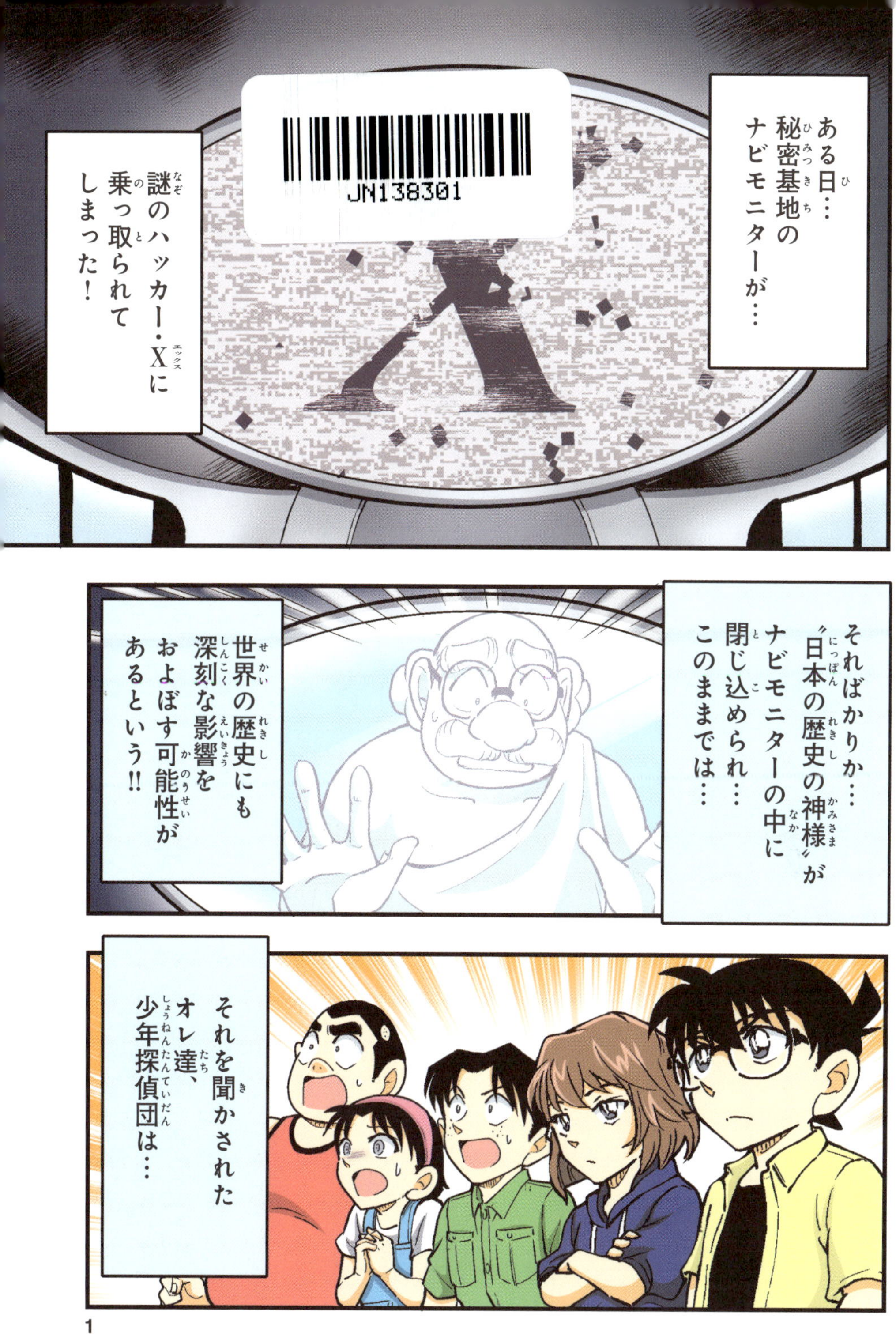
ある日《ひ》…秘密基地《ひみつきち》のナビモニターが…
謎《なぞ》のハッカー・X《エックス》に乗《の》っ取《と》られてしまった！
そればかりか…〝日本《にっぽん》の歴史《れきし》の神様《かみさま》〟がナビモニターの中《なか》に閉《と》じ込《こ》められ…このままでは…
世界《せかい》の歴史《れきし》にも深刻《しんこく》な影響《えいきょう》をおよぼす可能性《かのうせい》があるという!!
それを聞《き》かされたオレ達《たち》、少年探偵団《しょうねんたんていだん》は…

時間冒険者《タイムドリフター》達とともにX《エックス》からの挑戦《ちょうせん》に応《おう》じ…
歴史《れきし》に隠《かく》された謎《なぞ》に挑《いど》む!!
タイムドリフターの冒険《ぼうけん》アイテムは、オレ達《たち》と通信《つうしん》できるスマート端末《たんまつ》「スマタン」と…
DETECTIVE BOYS
タイムドリフターどうしで通信《つうしん》可能《かのう》な「DB《ディービー》バッジ」だ！

X《エックス》の正体《しょうたい》は？
そして目的《もくてき》は？
今回《こんかい》のタイムドリフトは、
これまでと何《なに》かが違《ちが》う！
ハッキングされたナビモニターをX《エックス》から取《と》り戻《もど》し、
世界《せかい》の歴史《れきし》を守《まも》ることができるのか!?

ようこそ時間冒険《タイムドリフト》の世界《せかい》へ！

名探偵江戸川《めいたんていえどがわ》コナンと少年探偵団《しょうねんたんていだん》は、
過去《かこ》に飛《と》ばされた子《こ》ども達《たち》
タイムドリフターと協力《きょうりょく》し、
日本《にっぽん》の歴史《れきし》、そして世界《せかい》の歴史上《れきしじょう》の
数《かず》かずの難事件《なんじけん》を解決《かいけつ》してきた!!
今回《こんかい》はどんな冒険《ぼうけん》が待《ま》ち受《う》けているのか…。
コナンといっしょに歴史《れきし》の旅《たび》に出発《しゅっぱつ》しよう！

過《か》去《こ》へと飛《と》ばされた13人《にん》の少年少女達《しょうねんしょうじょたち》、タイムドリフター。偶然発見《ぐうぜんはっけん》した〝ナビルーム〟で彼《かれ》らと出会《であ》ったコナンと少《しょう》年探偵団《ねんたんていだん》は、タイムドリフターが現代《げんだい》に戻《もど》るために必要《ひつよう》な〝時《とき》のイシ〟集《あつ》めを手伝《てつだ》うことに。強敵《きょうてき》、怪盗《かいとう》ウルフと対決《たいけつ》しながらも、日本《にっぽん》の歴史《れきし》の謎《なぞ》や事件《じけん》を解決《かいけつ》し、12の時《じ》代《だい》に散《ち》らばった〝時《とき》のイシ〟をぶじに集《あつ》めることができた。

安《あん》心《しん》したのも束《つか》の間《ま》、今《こん》度《ど》は封印《ふういん》を解《と》かれた〝歴《れき》史《し》の悪魔《あくま》〟が暴走《ぼうそう》を始《はじ》める。日本《にっぽん》の歴史《れきし》を守《まも》るため、タイムドリフターは再《ふたた》び日本《にっぽん》の歴《れき》史《し》を時間冒険《タイムドリフト》する。6個《こ》の〝時《とき》の紋章《もんしょう》〟を探《さが》し出《だ》し、タイムドリフターとコナン、少年探《しょうねんたん》偵団《ていだん》は力《ちから》を合《あ》わせて〝歴史《れきし》の悪魔《あくま》〟を再《ふたた》び封印《ふういん》することに成功《せいこう》したのだった。

コナン達《たち》を待《ま》ち受《う》ける時間冒険《タイムドリフト》はまだまだ続《つづ》く。新《あら》たな謎《なぞ》と事件《じけん》は、歴史《れきし》と歴《れき》史《し》の間《あいだ》に埋《う》もれていた。タイムドリフターは時代《じだい》を飛《と》び回《まわ》り、事態《じたい》を解決《かいけつ》に導《みちび》いたのだった。

さらに〝チエの実《み》〟を調《ちょう》査《さ》していた阿笠博士《あがさはかせ》が突如姿《とつじょすがた》を消《け》してしまう。タイムドリフターは12の時代《じだい》で阿《あ》笠博士《がさはかせ》の捜索《そうさく》にあたった。そこに立《た》ちはだかったのは、世《せ》界《かい》の歴史《れきし》の謎《なぞ》、事件《じけん》、そして新《あら》たな強敵《きょうてき》、猫盗賊《キャットシーフ》キャラットだった。

しかし何《なん》とか〝真実《しんじつ》のチエの実《み》〟を手《て》に入れたタイムドリフターのおかげで、博士《はかせ》は、ぶじナビルームに戻《もど》ってきたのだった。

そしていま、新《あら》たな時間冒険《タイムドリフト》が始《はじ》まろうとしている…。

CONAN HISTORY COMIC SERIES

世界史《せかいし》探偵《たんてい》コナン シーズン2 II DETECTIVE CONAN 4 美《び》と歴《れき》史《し》

人物《じんぶつ》&アイテム紹介《しょうかい》

フレデリック・ショパン

1810～1849年《ねん》

多《おお》くの曲《きょく》を後世《こうせい》に残《のこ》したポーランド出身《しゅうしん》の作曲家《さっきょくか》・ピアニスト。

ジョルジュ・サンド

1804～1876年《ねん》

フランスの作家《さっか》。19世紀《せいき》当時《とうじ》のフランス社会《しゃかい》で女性《じょせい》の権利《けんり》を獲得《かくとく》するため活動《かつどう》した。

ピエール市長《しちょう》

女性《じょせい》は男性《だんせい》に従《したが》うのが当然《とうぜん》という考《かんが》えを持《も》つ人物《じんぶつ》。

ウェンディー・シルバー

独学《どくがく》でファッションを学《まな》ぶ、デザイナーのたまご。近《ちか》ぢか開催《かいさい》されるファッションショーに並《なみ》なみならぬ意気込《いきご》みで臨《のぞ》む。

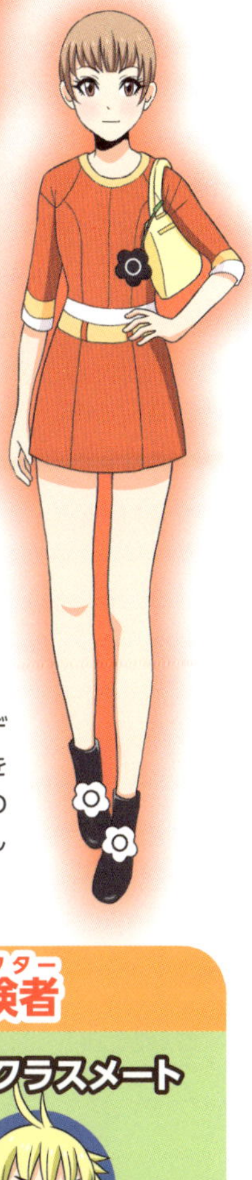

マリー・クワント

1930 ～ 2023 年《ねん》

イギリスのファッションデザイナー。ミニスカートをはじめとする自由《じゆう》な発想《はっそう》の服《ふく》で多《おお》くの人《ひと》びとを魅了《みりょう》した。

シプジ

時間冒険《タイムドリフト》をサポートする最新《さいしん》アプリ。

時間冒険者《タイムドリフター》のアイテム

DB《ディービー》バッジ

トランシーバー機能《きのう》のついた探偵《たんてい》バッジ。同《おな》じ時代《じだい》の中《なか》でだけ通話可能《つうわかのう》。

スマタン

現代《げんだい》と過去《かこ》の時《とき》を超《こ》えて通話《つうわ》ができるスマホ型《がた》の通信端末《つうしんたんまつ》。

時間冒険者《タイムドリフター》

師弟関係《していかんけい》（？）のクラスメート

優一《ゆういち》　俊夫《としお》

文武両道《ぶんぶりょうどう》の優一《ゆういち》と、彼《かれ》を「アニキ」と慕《した》う俊夫《としお》。今回《こんかい》の冒険《ぼうけん》で、２人《り》は真《しん》の相棒《あいぼう》に⁉

世界史探偵《せかいしたんてい》コナン・シーズンⅡ《ツー》

4 [美《び》と歴史《れきし》] 泥《どろ》まみれの解放者《アイドル》

もくじ

[コナンの推理《すいり》NOTE《ノート》]

CONAN HISTORY COMIC SERIES

世界史《せかいし》探偵《たんてい》

コナン II シーズン2

DETECTIVE CONAN

4

美《び》と歴《れき》史《し》

泥《どろ》まみれの解放者《アイドル》

原作《げんさく》／青山剛昌《あおやまごうしょう》

まんが／谷仲《やなか》ツナ・鹿賀《かが》ミツル

串
串米花百貨店
♪
仮面ヤイバー
YAIBER
仮面《かめん》ヤイバーの限定《げんてい》グッズ…買《か》えてよかったですね！
おう！
BOOKS
FILE.1
ファッションブームに歴史《れきし》あり！
早《はや》く開《あ》けようぜ！
おうちまで我慢《がまん》して！元太君《げんたくん》！
クイッ
ん？
あそこにいるのは…

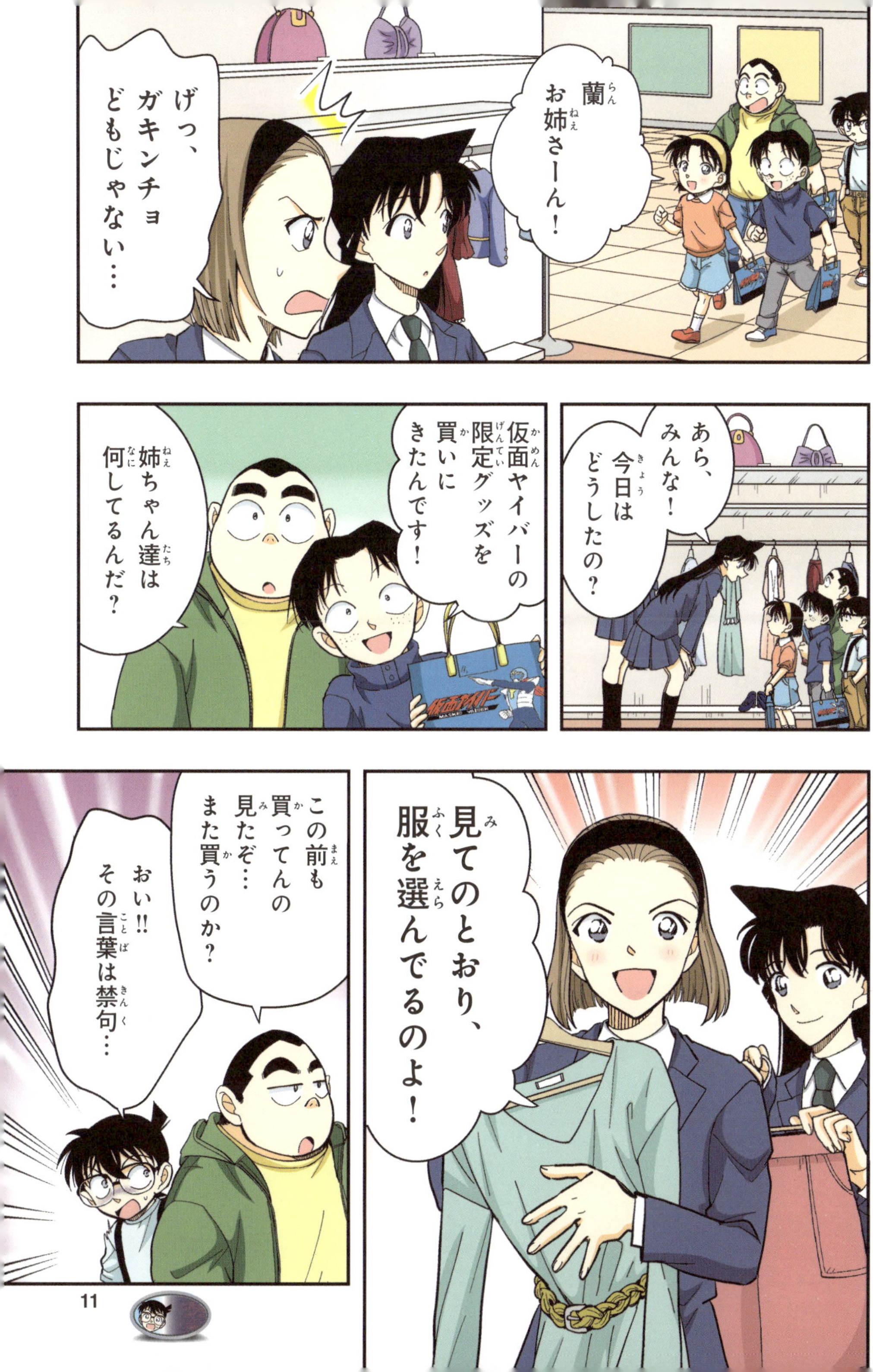
蘭《らん》お姉《ねえ》さーん！
げっ、ガキンチョどもじゃない…
あら、みんな！今日《きょう》はどうしたの？
仮面《かめん》ヤイバーの限定《げんてい》グッズを買《か》いにきたんです！
姉《ねえ》ちゃん達《たち》は何《なに》してるんだ？
見《み》てのとおり、服《ふく》を選《えら》んでるのよ！
この前《まえ》も買《か》ってんの見《み》たぞ…また買《か》うのか？
おい!! その言葉《ことば》は禁句《きんく》…

はぁ～…これだからガキンチョは…!!
いい？女《おんな》の子《こ》はおしゃれしたいものなの！
洋服《ようふく》は何着《なんちゃく》あっても困《こま》らないの！
アンタだって、同《おな》じキャラのグッズを飽《あ》きずに何個《なんこ》も買《か》ってるでしょ？
それといっしょなのよ！
お、おう…
おーい…

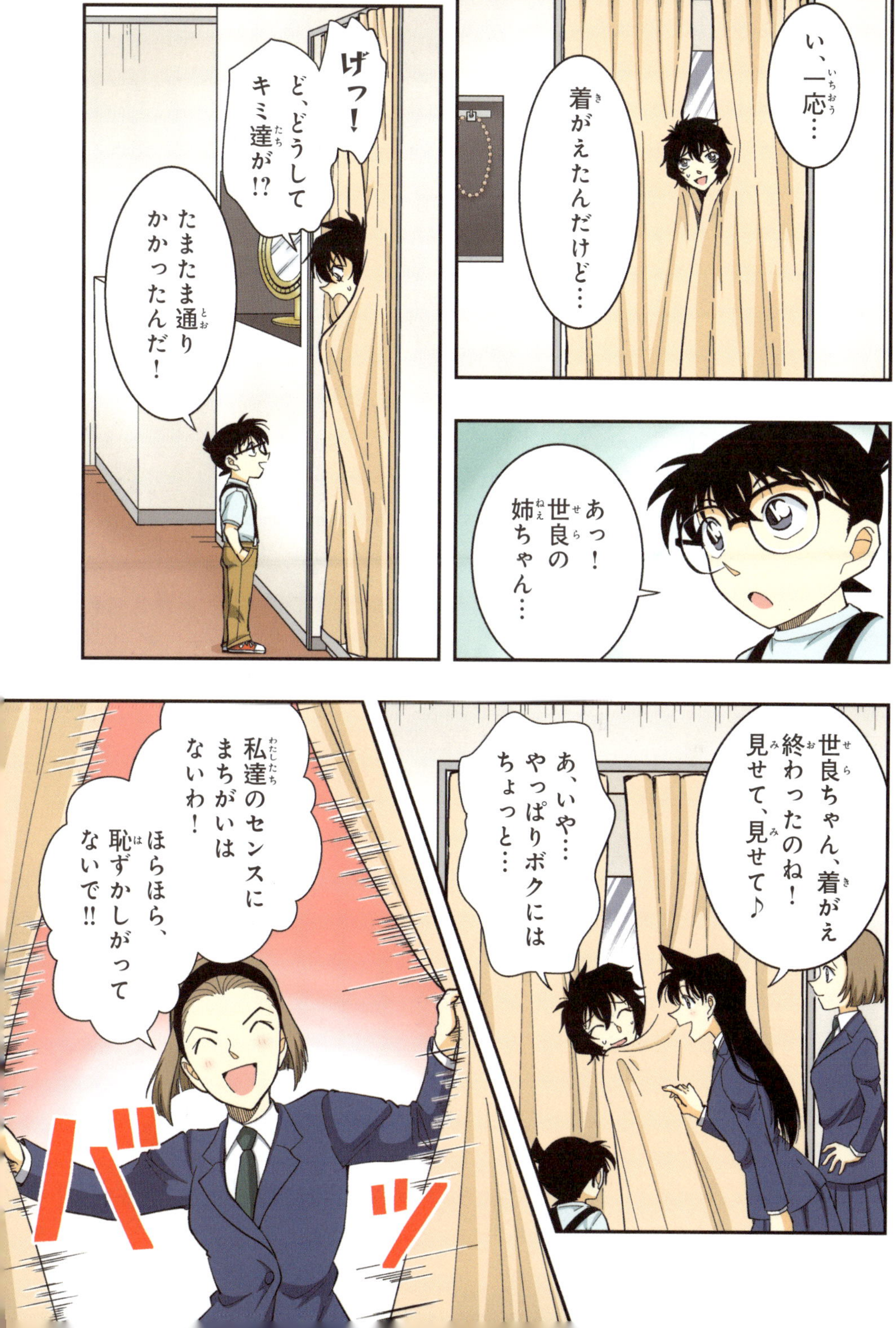
い、一応《いちおう》…
着《き》がえたんだけど…
あっ！世良《せら》の姉《ねえ》ちゃん…
げっ！
ど、どうしてキミ達《たち》が!?
たまたま通《とお》りかかったんだ！
世良《せら》ちゃん、着《き》がえ終《お》わったのね！見《み》せて、見《み》せて♪
あ、いや…やっぱりボクにはちょっと…
私達《わたしたち》のセンスにまちがいはないわ！
ほらほら、恥《は》ずかしがってないで!!
バッ

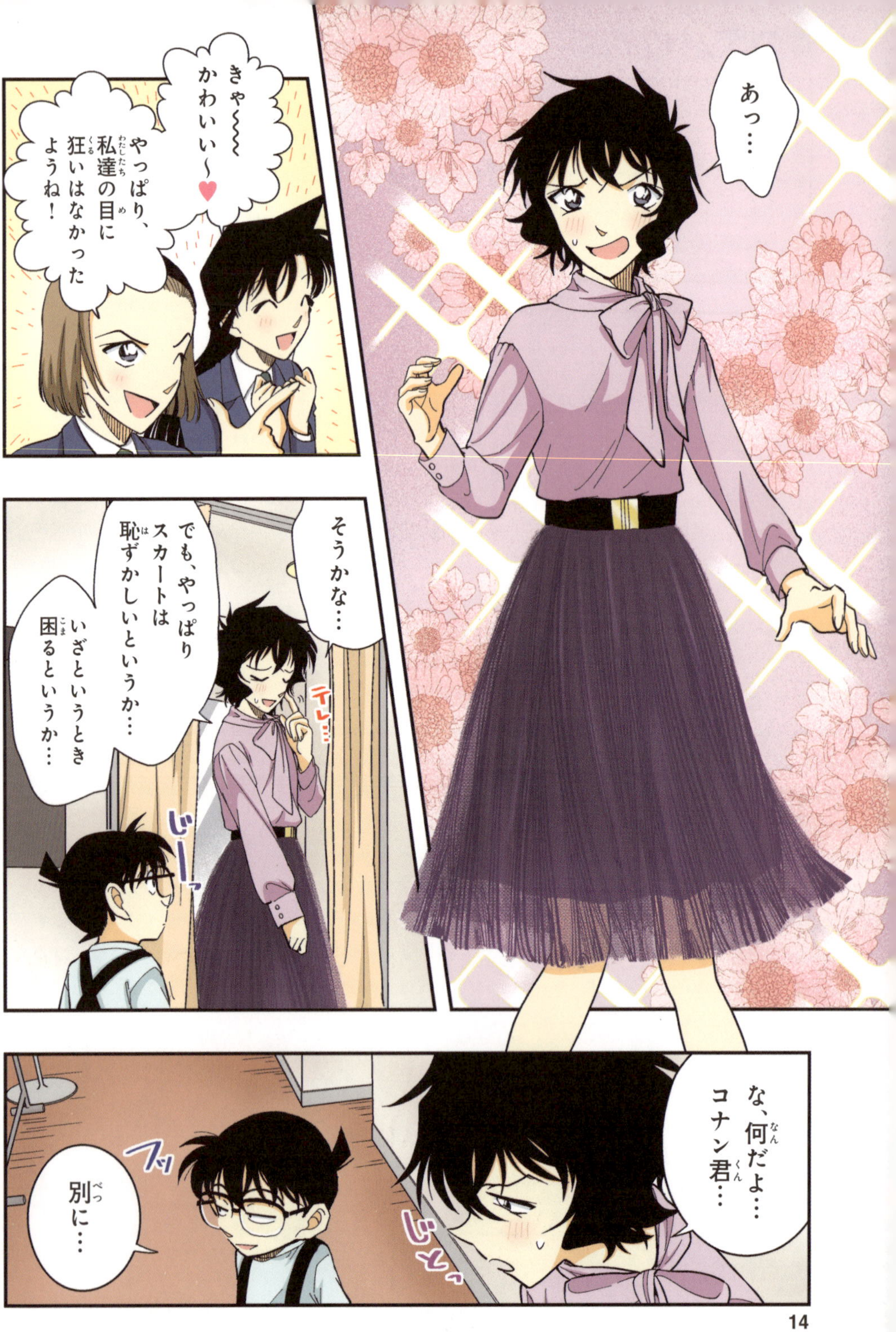
あっ…
きゃ〜〜〜 かわいいい〜♥
やっぱり、私達《わたしたち》の目《め》に狂《くる》いはなかったようね！
そうかな…
でも、やっぱりスカートは恥《は》ずかしいというか…
いざというとき困《こま》るというか…
テレ…
じーっ
な、何《なん》だよ…コナン君《くん》…
じとっ
フッ
別《べつ》に…

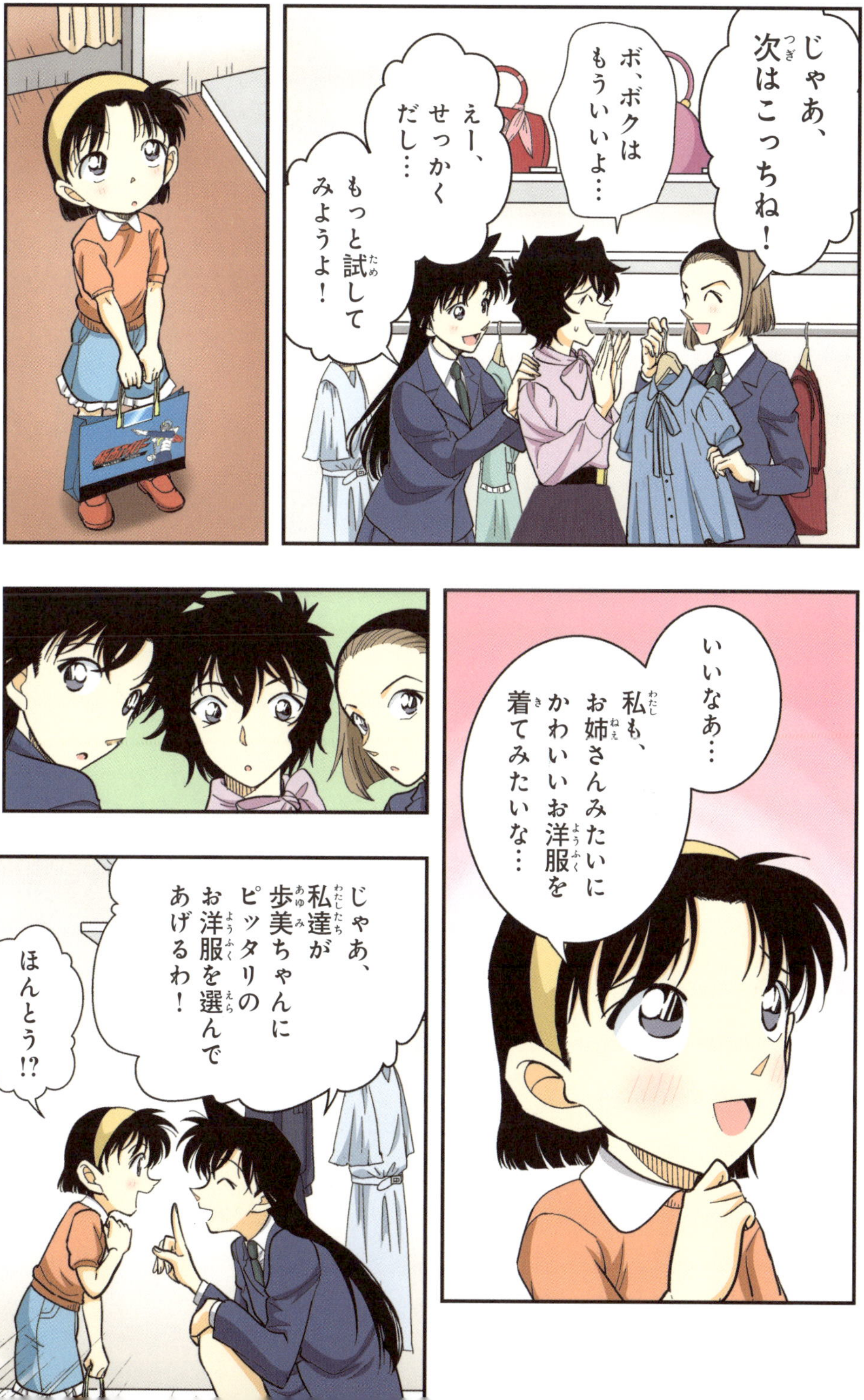
じゃあ、次《つぎ》はこっちね！
ボ、ボクはもういいよ…
えー、せっかくだし…
もっと試《ため》してみようよ！
いいなあ…私《わたし》も、お姉《ねえ》さんみたいにかわいいお洋服《ようふく》を着《き》てみたいな…
じゃあ、私達《わたしたち》が歩美《あゆみ》ちゃんにピッタリのお洋服《ようふく》を選《えら》んであげるわ！
ほんとう!?

オホホホホホ
ホホホ
ええ！大船《おおぶね》に乗《の》ったつもりでまかせなさい！
長《なが》くなりそうだな…はは…
シャッ
お待《ま》たせ…
どう、かな…？

ワァ
アァァ
あら! と〜っても似合《にあ》ってるわよ!
ピッタリだ!!
その…ステキです!
うん、うん!
コナン君《くん》はどう思《おも》う?
ん? いいんじゃねぇか?
ガキンチョ…
もっとほめかたってもんがあるでしょうが!
そんなんだとモテないわよ?
よけいなお世話《せわ》だっつーの…
この服《ふく》、今度《こんど》お母《かあ》さんに買《か》ってもらおうっと…
あっ、そうだ…
せっかくだし、コナン君《くん》の服《ふく》も買《か》っちゃおうか!
え?

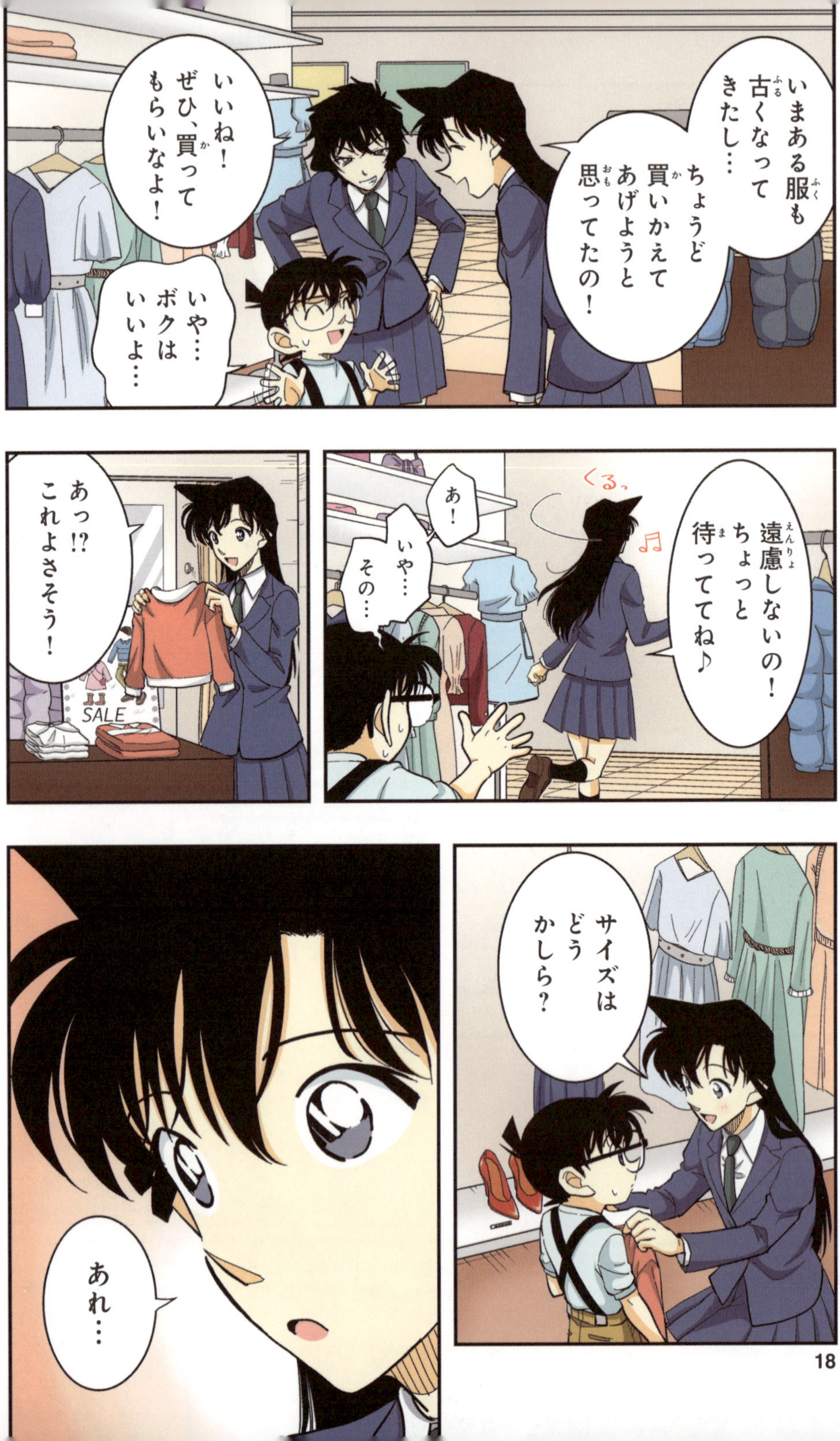
いまある服《ふく》も古《ふる》くなってきたし…
ちょうど買《か》いかえてあげようと思《おも》ってたの！
いいね！ぜひ、買《か》ってもらいなよ！
いや…ボクはいいよ…
遠慮《えんりょ》しないの！ちょっと待《ま》っててね♪
くるっ
あ！
いや…その…
あっ!? これよさそう！
SALE
サイズはどうかしら？
あれ…

……
ど、どうしたの、蘭姉《らんねえ》ちゃん？
この服《ふく》の感《かん》じ…どこかで見覚《みおぼ》えが…
あっ、そうだ！
新一《しんいち》が小《ちい》さいころに着《き》てたんだわ！
そうよ、絶対《ぜったい》にそう！
まちがいないわ!!
…こうやって見《み》ると、やっぱりコナン君《くん》って新一《しんいち》に…
ずいっ
!!

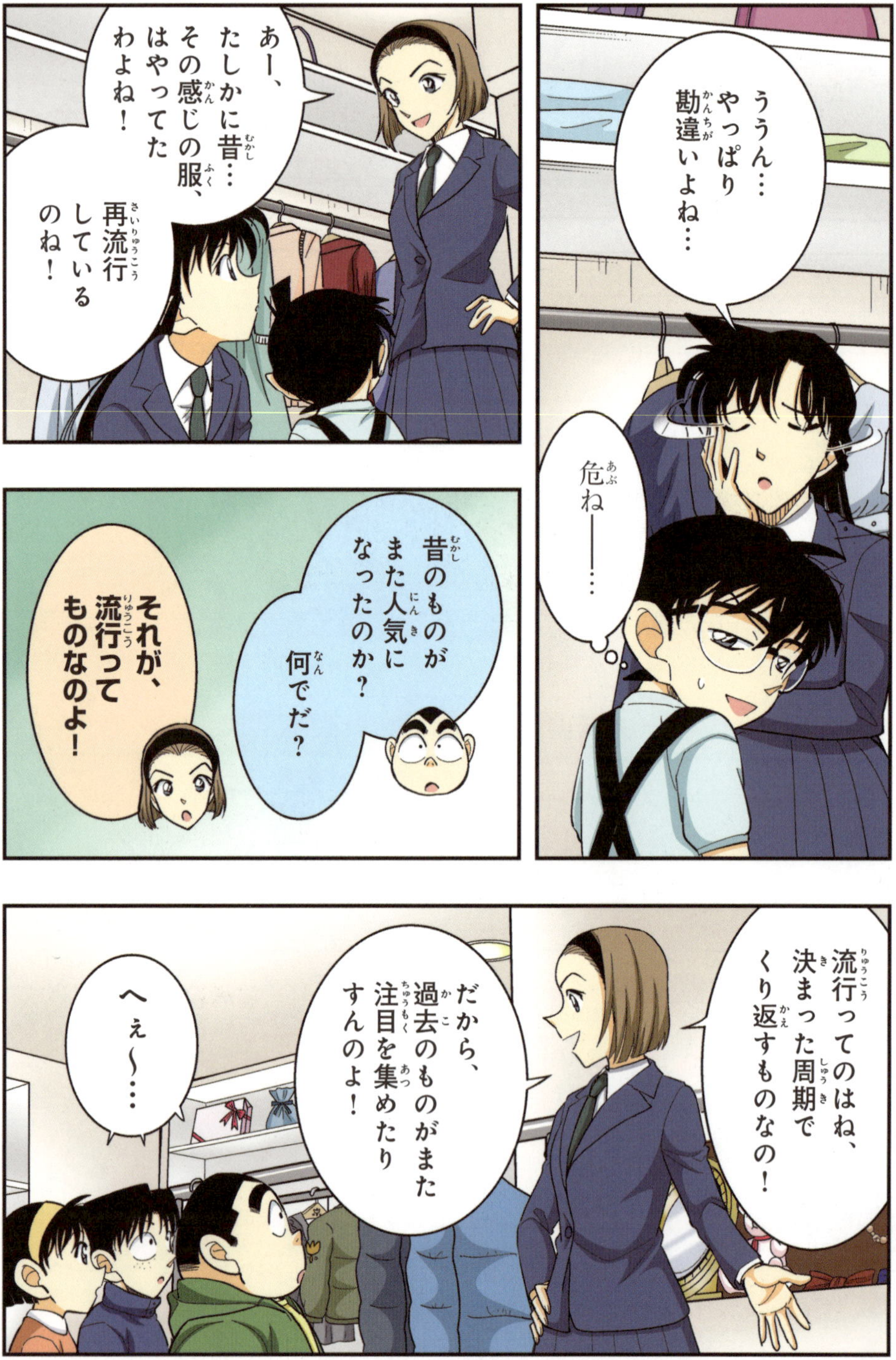
ううん…やっぱり勘違《かんちが》いよね…
危《あぶ》ね――…
あー、たしかに昔《むかし》…その感《かん》じの服《ふく》、はやってたわよね！
再流行《さいりゅうこう》しているのね！
昔《むかし》のものがまた人気《にんき》になったのか？
何《なん》でだ？
それが、流行《りゅうこう》ってものなのよ！
流行《りゅうこう》ってのはね、決《き》まった周期《しゅうき》でくり返《かえ》すものなの！
だから、過去《かこ》のものがまた注目《ちゅうもく》を集《あつ》めたりすんのよ！
へぇ～…

コナン君《くん》、せっかくだし試着《しちゃく》してみて！
いや、それはちょっと…
どうして？
この服《ふく》を着《き》たらオレの正体《しょうたい》に気《き》づくかもしれねぇから…
…なんて言《い》えねぇよな…
ブーブー
あ…
阿笠博士
X《エックス》から、新《あたら》しい謎《なぞ》が届《とど》いた！例《れい》の場所《ばしょ》にきてくれ！哀君《あいくん》と待《ま》っておる！

コナン君《くん》、もしかして…
ああ…
阿笠博士《あがさはかせ》に呼《よ》ばれちゃったから、いかなきゃ！
じゃあ、またあとでね！
ダッ
あっ、ちょっと！コナン君《くん》！
…もう！
……

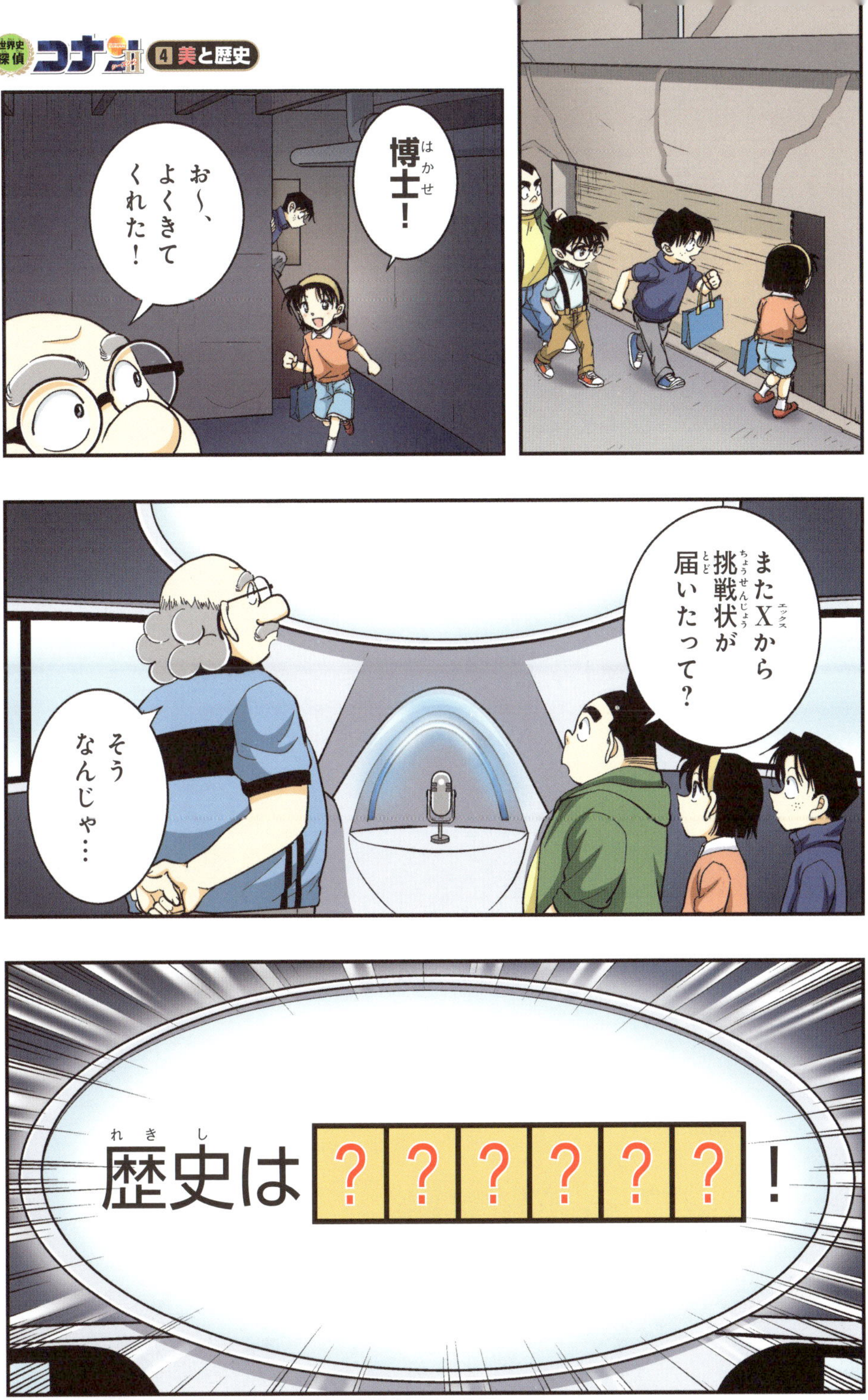
博士《はかせ》！
お〜、よくきてくれた！
またX《エックス》から挑戦状《ちょうせんじょう》が届《とど》いたって？
そうなんじゃ…
歴史《れきし》は？？？？？？！

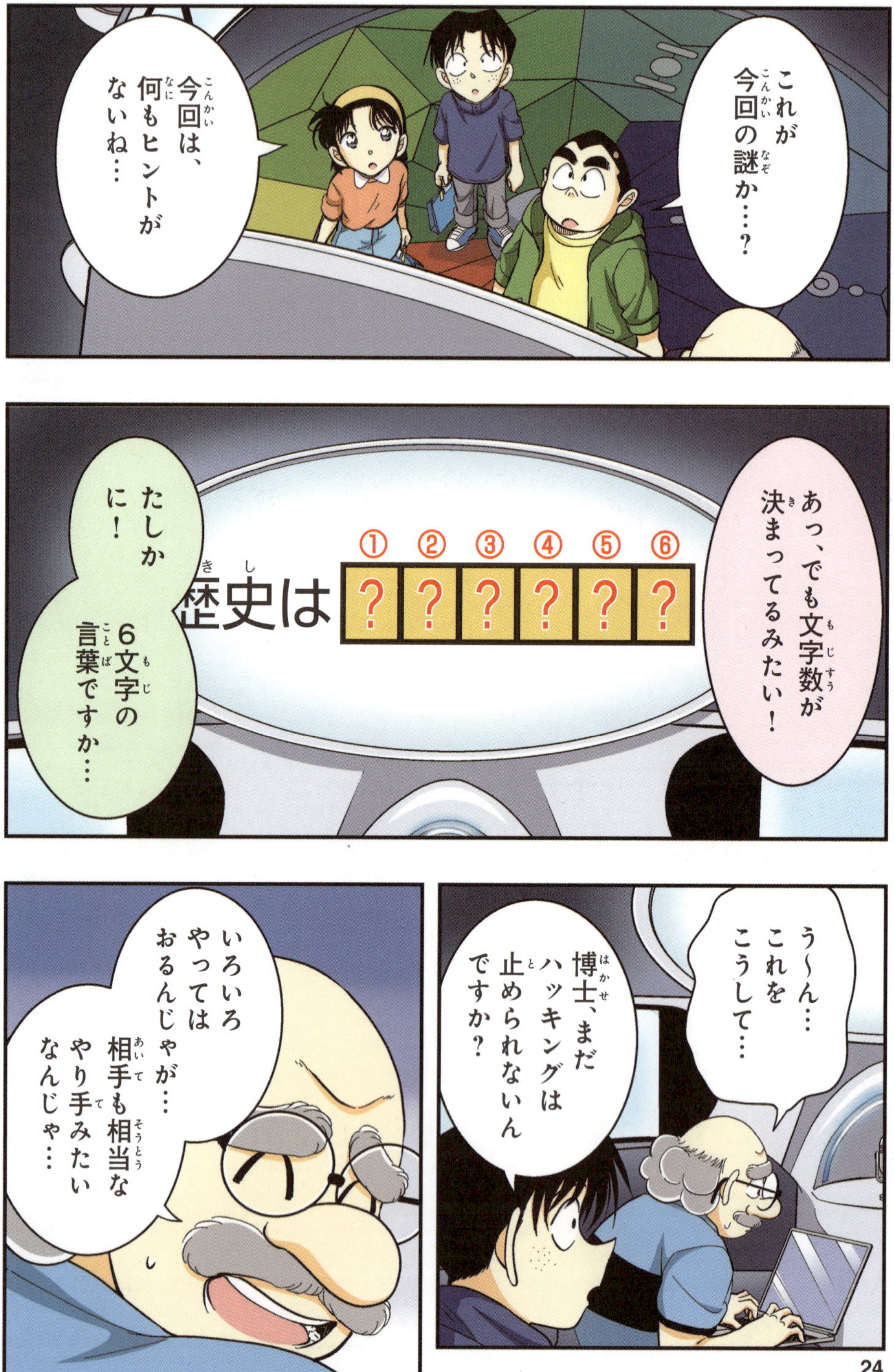
これが今回《こんかい》の謎《なぞ》か…？
今回《こんかい》は、何《なに》もヒントがないね…
あっ、でも文字数《もじすう》が決《き》まってるみたい！
①②③④⑤⑥
歴史《きし》は？？？？？？
たしかに！6文字《もじ》の言葉《ことば》ですか…
う〜ん…これをこうして…
博士《はかせ》、まだハッキングは止《と》められないんですか？
いろいろやってはおるんじゃが…相手《あいて》も相当《そうとう》なやり手《て》みたいなんじゃ…

おい、灰原《はいばら》…
ほんとうにおめぇの力《ちから》でもどうにかできねえのか？
あら、私《わたし》は科学者《かがくしゃ》…
エンジニアじゃないのよ？
そうかもしれねぇけど…
あっ！今回《こんかい》のタイムドリフターはこの2人《り》だったんだ…!!
PLAZA

カワイイ文化《ぶんか》の発信地《はっしんち》・原宿《はらじゅく》（東京都《とうきょうと》）

化粧《けしょう》をする古代《こだい》エジプトの女性《じょせい》

人《ひと》びとの装《よそお》いには、時代《じだい》や地域《ちいき》の歴史《れきし》が織《お》りこまれているんだ!!
18世紀《せいき》ヨーロッパ
江戸時代《えどじだい》の日本《にっぽん》
世界《せかい》の民族衣装《みんぞくいしょう》
ファッションは歴史《れきし》を映《うつ》す鏡《かがみ》だ!!
ファッションが開《ひら》いた自由《じゆう》の扉《とびら》!?
ファッションの歴史《れきし》は、自由《じゆう》と解放《かいほう》の歴史《れきし》でもある…
さあ、「ファッション」が秘《ひ》めた力《ちから》と役割《やくわり》を探《さが》す時間冒険《タイムドリフト》に出発《しゅっぱつ》だ!!

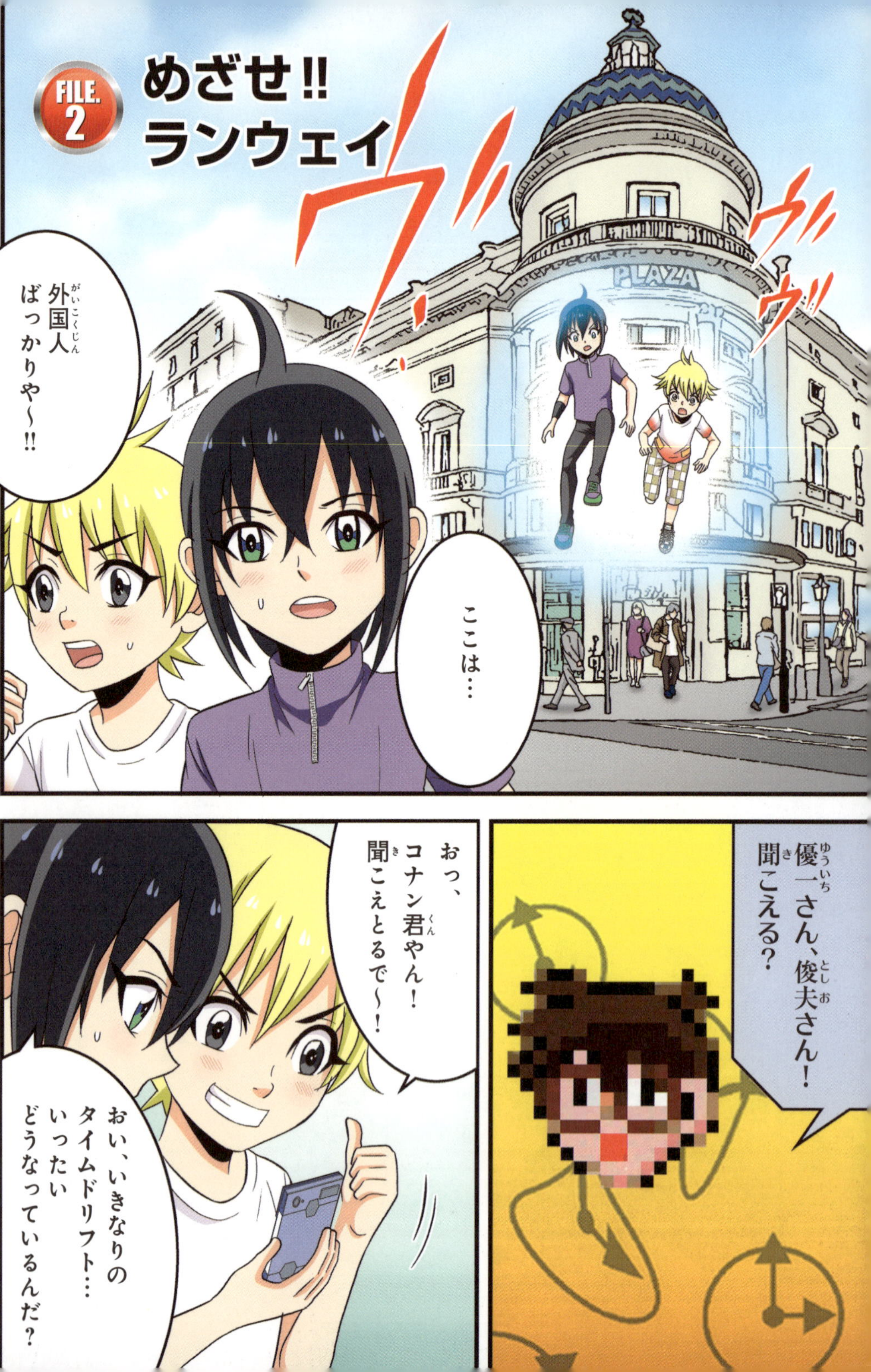
FILE. 2
めざせ!! ランウェイ
ヴ!
ヴヴヴ
PLAZA
ここは…
外国人《がいこくじん》ばっかりや〜!!
優一《ゆういち》さん、俊夫《としお》さん! 聞《き》こえる?
おっ、コナン君《くん》やん! 聞《き》こえとるで〜!
おい、いきなりのタイムドリフト… いったい どうなっているんだ?

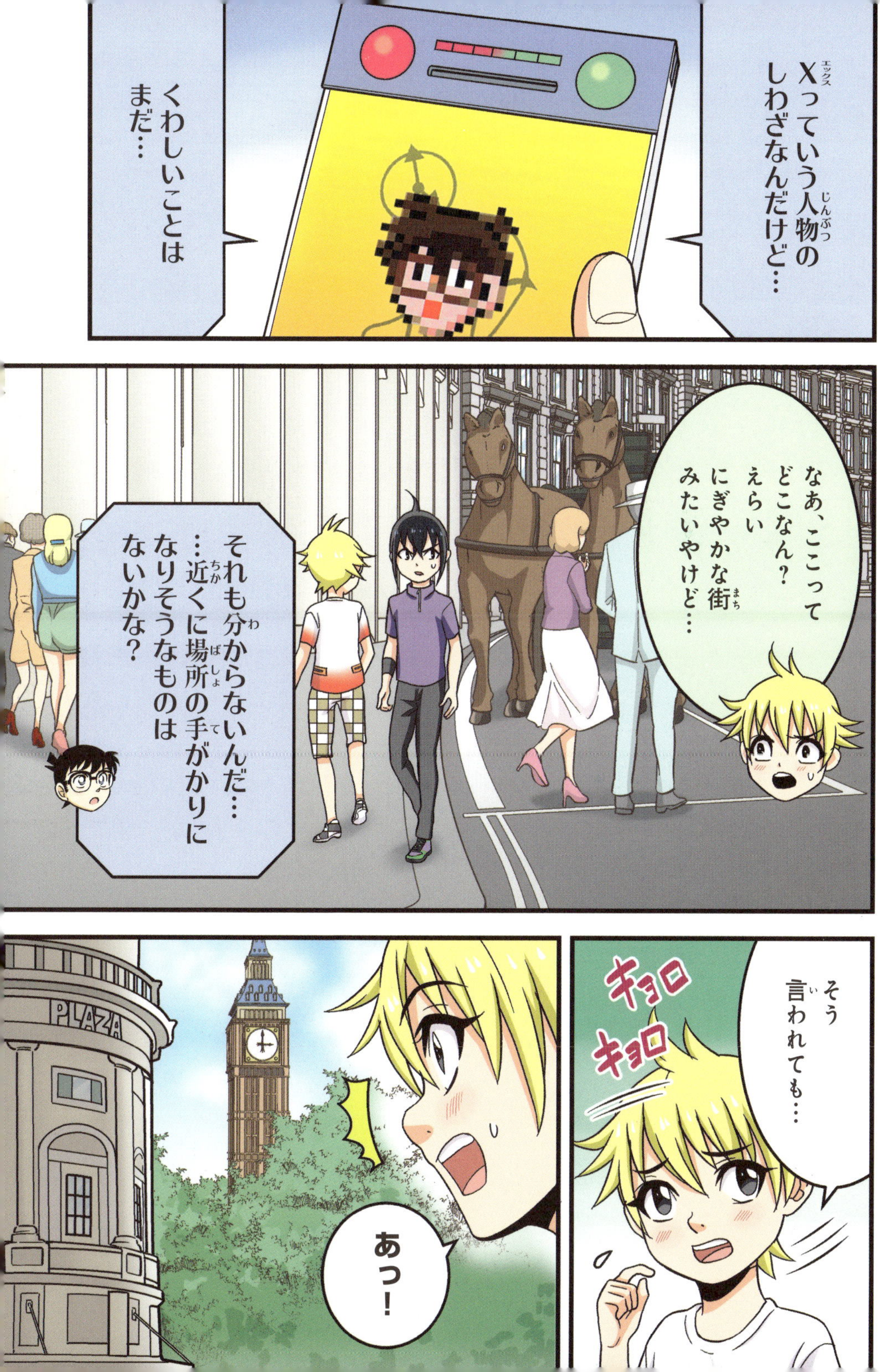
X《エックス》っていう人物《じんぶつ》のしわざなんだけど…
くわしいことはまだ…
なあ、ここってどこなん？えらいにぎやかな街《まち》みたいやけど…
それも分《わ》からないんだ……近《ちか》くに場所《ばしょ》の手《て》がかりになりそうなものはないかな？
キョロ
キョロ
そう言《い》われても…
あっ！
PLAZA

あの塔《とう》みたいな建物《たてもの》、見《み》たことある気《き》がするんやけど…
あれはビッグベンだ！ロンドンを代表《だいひょう》する時計台《とけいだい》だね！
ロンドン…つまり、ここはイギリスなのか…
あっ、アニキ！このポスター!!
映画《えいが》のポスターで、優一《ゆういち》さん達《たち》がいる時代《じだい》も分《わ》かったよ！
『００７《ゼロゼロセブン》 ロシアより愛《あい》をこめて』が公開《こうかい》されたのは、１９６３年《ねん》なんだ！

007《ゼロゼロセブン》…？
JAMES BOND IS
IAN FLEMING'S
FROM RUSSIA WITH LOVE
TECHNICOLOR
HARRY SALTZMAN
ALBERT R. BROCCOLI
TERENCE YOUNG
EON PRODUCTIONS LTD.
この映画《えいが》、見《み》たことあるわ！
主人公《しゅじんこう》が漢《おとこ》って感《かん》じでかっこよかったのを覚《おぼ》えとるわ～…もちろんアニキがイチバンやけどな！
お前《まえ》、またアニキって…
やっぱりこっちのほうが言《い》い慣《な》れてて…
デヘッ♡
つまり、1963年《ねん》のイギリスで謎《なぞ》を解《と》けと…

歴史《れきし》は??????!
ENTER
?に入《はい》る正《ただ》しい言葉《ことば》を見《み》つけろって……何《なん》かヒントとかないいん?
ゼェ
ゼェ
いまのところ手《て》がかりはなしか…
こんな大都市《だいとし》でヒントもなしなんて…あかん、見《み》つかる気《き》がせえへん!
もう泣《な》き言《ごと》か?
!!
……
ゴオオッ
高《たか》い壁《かべ》ほど燃《も》えるのが漢《おとこ》ってもんや!やったるで~!!

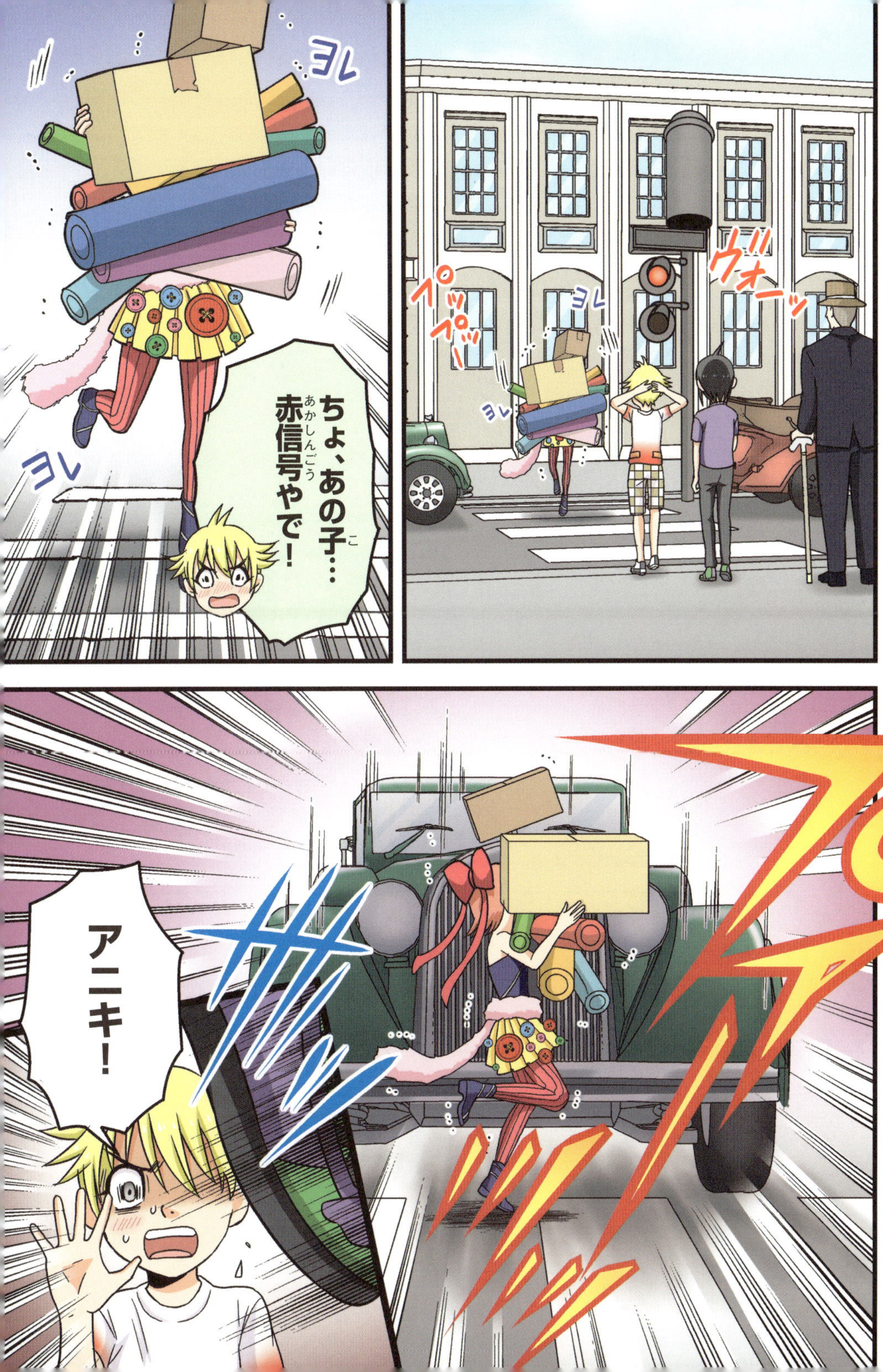
パッパッー
ヴォーッ
ヨレ
ヨレ
ヨレ
ちょ、あの子《こ》…赤信号《あかしんごう》やで!
ヨレ
アニキ!

ア、アニキ！　ケガは!?
オレは　だいじょうぶ　だけど…
あいたた…
アンタ　平気《へいき》か？
アンタなんて失礼《しつれい》ね！　私《わたし》の名前《なまえ》は　ウェンディーよ！

もう最悪《さいあく》～!! せっかくの洋服《ようふく》が汚《よご》れちゃったじゃない！
ぱんっ
ぱんっ
いやいや、まずはアニキにお礼《れい》を…
いい？ この服《ふく》はね、世界《せかい》に一着《いっちゃく》しかない特別《とくべつ》なものなの！
とくにこのミニスカートなんか、シルエットがキレイに見《み》えるように生地《きじ》にも縫《ぬ》いかたにもこだわってるの!!
へ、へ～ そっ、そうなんや…
あなた達《たち》の服《ふく》も、見《み》たことないデザインね…
どこのブランドなの？
ブランド？ これは母《かあ》ちゃんがその辺《へん》で…
あなた…
顔《かお》もスタイルも申《もう》し分《ぶん》ないわね… 名前《なまえ》は？
ムシ…
オレは優一《ゆういち》、そっちは俊夫《としお》だ…
決《き》めたわ!! 私《わたし》のモデルになりなさい、優一《ゆういち》！
モデル～!!?

いいから！さっさと拾《ひろ》ってよね！
ブツブツ
ったく、何《なん》でオレらが…
ところでアニキ…さっきのモデルの話《はなし》、ほんとうにやるんか？
まだ分《わ》からない…だが、謎解《なぞと》きのヒントもないし…
きらめくステージ
ランウェイの先《さき》に
己《おのれ》を見《み》つけん
X《エック》
!?
洋服《ようふく》の生地《きじ》に文字《もじ》が!? これって…まさか!?
ああ…ヒントらしいな…
きらめくステージ
ランウェイの先に
己を見つけん
X
オレがモデルをやることは、最初《さいしょ》から決《き》められていたみたいだな…

じゃあ、あの子《こ》についていけば、謎《なぞ》の答《こた》えを見《み》つけられるんやな！
ああ、きっとな…
ほら！
拾《ひろ》ったならいくわよ！

到着《とうちゃく》よ！
ただいま！
おかえり、ウェンディー！
お友達《ともだち》もいっしょなの!?
ドタ
バタ
そんなのじゃないわ！
次《つぎ》のモデルよ！
ウェンディーのこと、どうかよろしく…
はい！
まかせてや！

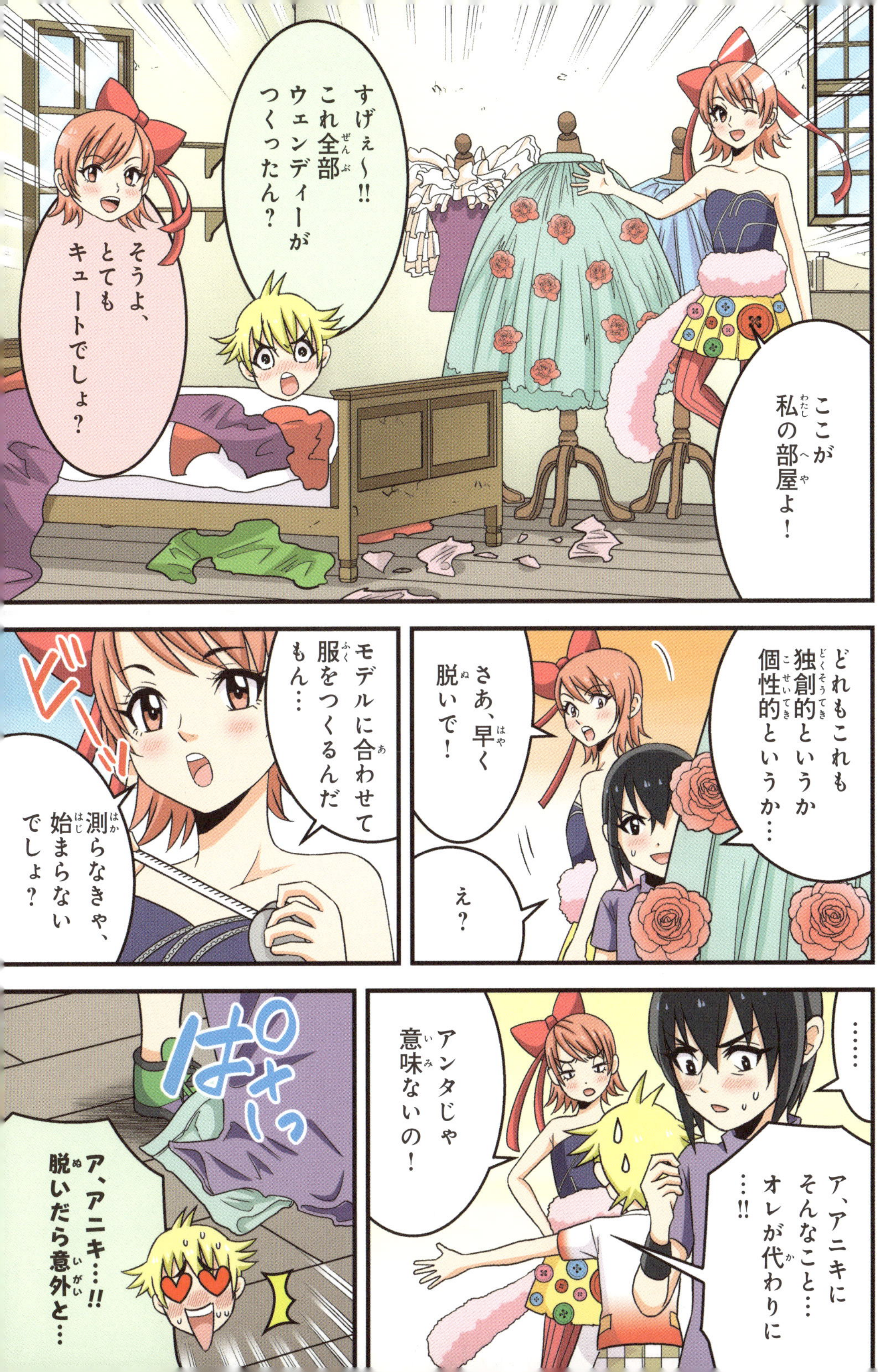

ここが私《わたし》の部屋《へや》よ!
すげぇ〜!! これ全部《ぜんぶ》ウェンディーがつくったん?
そうよ、とてもキュートでしょ?
どれもこれも独創的《どくそうてき》というか個性的《こせいてき》というか…
さあ、早《はや》く脱《ぬ》いで!
え?
モデルに合《あ》わせて服《ふく》をつくるんだもん…
測《はか》らなきゃ、始《はじ》まらないでしょ?
……
ア、アニキにそんなこと…オレが代《か》わりに…!!
アンタじゃ意味《いみ》ないの!
ぱさっ
ア、アニキ…!! 脱《ぬ》いだら意外《いがい》と…

※採寸《さいすん》…からだの各部分《かくぶぶん》の寸法《すんぽう》を測《はか》ること。

ちょうどよかったわ！
夕食《ゆうしょく》ができたところよ！
どうも…
あっ、でもウェンディーは…
きっとまた服《ふく》づくりに夢中《むちゅう》なのに違《ちが》いないわ！そっとしておきましょ…
さあ、冷《さ》めないうちに召《め》し上《あ》がって！
じゃあ、お言葉《ことば》に甘《あま》えて！いただきまーす!!
ふぅー、お腹《なか》いっぱい…
ぽんっ
ごちそうさま！
ぽんっ

結局《けっきょく》…下《お》りてこなかったな、ウェンディー…
いつものことよ…
服《ふく》づくりのことになると、ほかのことは全部《ぜんぶ》忘《わす》れちゃうの！
できることなら学校《がっこう》に通《かよ》わせて、服《ふく》の勉強《べんきょう》をさせてやりたいんだが…
見《み》てのとおり、うちは貧乏《びんぼう》でね…
じゃあ、彼女《かのじょ》はいままで独学《どくがく》で？
マジかよ!?
独学《どくがく》であれだけのものつくれるなら、将来《しょうらい》は大物《おおもの》デザイナーやな！
そうなってくれたらいいけど…
…あの子《こ》に食事《しょくじ》を持《も》っていってくれない？

コンコン
ウェンディー、食事《しょくじ》やで！
なんや、寝《ね》ちゃってたんか…
おい…
×《バッテン》がついた紙《かみ》がこないに…もしかしてこれ全部《ぜんぶ》…
ああ…没案《ぼつあん》の山《やま》だ…ものすごい集中力《しゅうちゅうりょく》だな…
ズ…
すぅー
すぅー

ウェンディーさんがどんなお洋服《ようふく》をつくるのか、楽《たの》しみ～!!
ん～…
元太君《げんたくん》、お腹《なか》でも痛《いた》いんですか?
ちげぇーよ!挑戦状《ちょうせんじょう》のことを考《かんが》えてたんだよ!
答《こた》えが分《わ》かったんですか!?
…さっぱりだぜ!
ズコッ
元太君《げんたくん》に期待《きたい》したボクがまちがっていました…
コナン君《くん》はどう…?
まだ推測《すいそく》の域《いき》ではあるけど…
謎解《なぞと》きの答《こた》えには一定《いってい》の法則《ほうそく》があると思《おも》うんだ…
多少強引《たしょうごういん》だけど…タイムドリフターがふれる文化《ぶんか》や歴史《れきし》のキャッチコピーになっているような…

たしか…朝陽《あさひ》さんとうめさんが〝食《しょく》〟をめぐる事件《じけん》に遭遇《そうぐう》して…
歴史《れきし》はおいしい！
航《わたる》さんと華帆《かほ》さんが〝スポーツ〟と向《む》き合《あ》って…
歴史《れきし》はゲームだ！
ハルさんとリクちゃんが〝都市《とし》〟をめぐったときは…
歴史《れきし》はより速《はや》く！ より高《たか》く！ より遠《とお》くへ！
コナン君《くん》の言《い》うとおりね！
2人《り》にも教《おし》えてあげないと！
そうですね！
それにしても……X《エックス》はどうしてこんな謎解《なぞと》きを？
ヤツの目的《もくてき》はいったい……

コナンの推理《すいり》NOTE《ノート》

人類《じんるい》は生《う》まれたときからオシャレだった！？

衣服《いふく》を身《み》につけるのは、体毛《たいもう》を持《も》たない動物《どうぶつ》＝人類《じんるい》ならではの文化《ぶんか》だ！

人《じん》類《るい》を「裸《はだか》のサル」と呼《よ》ぶことがある。人類《じんるい》はサル（霊長類《れいちょうるい》）から進化《しんか》したが、ほかの霊長類《れいちょうるい》や哺乳類《ほにゅうるい》（※）と違《ちが》い体毛《たいもう》をほとんど持《も》たないからだ。体温《たいおん》を保《たも》ち、危険《きけん》から身《み》を守《まも》るための体毛《たいもう》の代《か》わりに、人類《じんるい》が生《う》み出《だ》したのが「衣《い》服《ふく》」だ。そうした実用性《じつようせい》に留《とど》まらず、人類《じんるい》は数万年《すうまんねん》の昔《むかし》から衣服《いふく》やアクセサリーで着飾《きかざ》る文化《ぶんか》を育《はぐく》んできたぞ。

大昔《おおむかし》のものには、人類《じんるい》のオシャレに対《たい》する思《おも》いが、刻《きざ》まれている！

※哺乳類《ほにゅうるい》……メスが子《こ》どもに母乳《ぼにゅう》を与《あた》えて育《そだ》てる動物《どうぶつ》のグループ。

身《み》を飾《かざ》る文化《ぶんか》として古《ふる》くからあるのが「入《い》れ墨《ずみ》」じゃ。ヨーロッパで発見《はっけん》された約《やく》5200年前《ねんまえ》のミイラにも、入《い》れ墨《ずみ》のあとが残《のこ》っておったぞ！

発見《はっけん》！　15万年前《まんねんまえ》のアクセサリー

最古《さいこ》の首飾《くびかざ》り

人類《じんるい》がいつから衣服《いふく》を身《み》につけるようになったのかは、はっきり分《わ》かっていないが、約《やく》15万年前《まんねんまえ》のものと考《かんが》えられる貝殻《かいがら》製《せい》の首飾《くびかざ》りが、モロッコの遺跡《いせき》から見《み》つかっている。そんな大昔《おおむかし》から人類《じんるい》は、着飾《きかざ》っていたのだ。

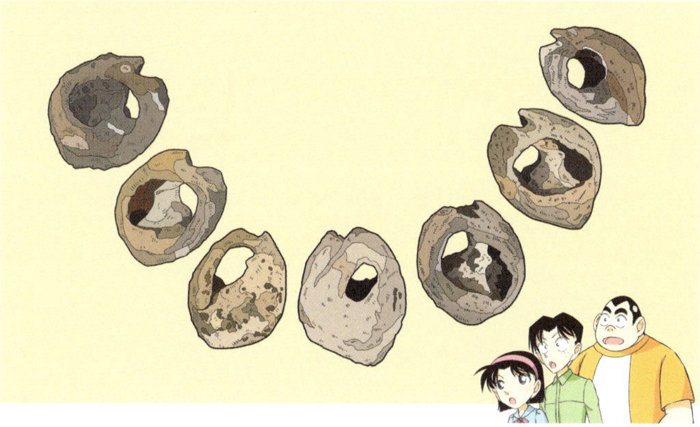

日本《にっぽん》でも2万年前《まんねんまえ》のアクセサリーが見《み》つかっているぞ！

動物《どうぶつ》の骨《ほね》や貝殻《かいがら》などを加《か》工《こう》しただけでなく、それをより美《うつく》しくするために着色《ちゃくしょく》したアクセサリーも見《み》つかっている。沖縄《おきなわ》県《けん》で発《はっ》見《けん》された約《やく》2万《まん》3000年前《ねんまえ》の貝殻製《かいがらせい》の首《くび》飾《かざ》りには、赤色《あかいろ》に塗《ぬ》ったあとが残《のこ》っていたぞ。

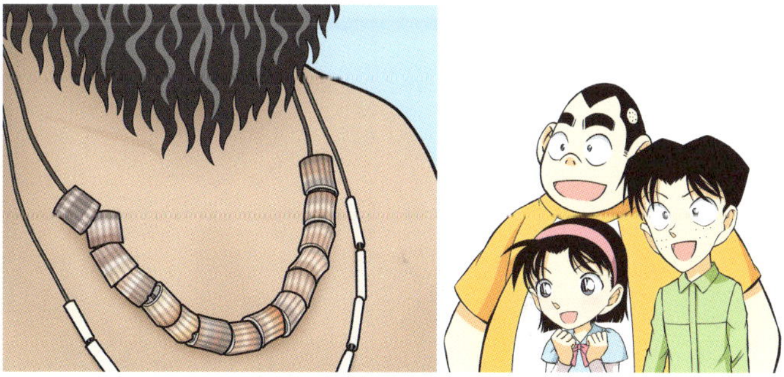

縄文時代《じょうもんじだい》のオシャレ

1万年前《まんねんまえ》の縄文時代《じょうもんじだい》の女性《じょせい》は、もうこんなにオシャレだったぞ！
骨《ほね》の髪飾《かみかざ》り
貝《かい》の腕輪《うでわ》
石《いし》の耳飾《みみかざ》り
ヒスイの首飾《くびかざ》り

コナンの推理《すいり》NOTE《ノート》

一枚《いちまい》の布《ぬの》にも歴史《れきし》あり！？ 歴史《れきし》を変《か》えた、いろいろな布《ぬの》

私達《わたしたち》の暮《く》らしに欠《か》かせない「布《ぬの》」は、歴史《れきし》を動《うご》かす原動力《げんどうりょく》になった！？

人《じん》類《るい》が最初《さいしょ》に身《み》につけた衣服《いふく》は、動物《どうぶつ》の毛皮《けがわ》や草木《くさき》の葉《は》などを加《か》工《こう》して、体《からだ》に巻《ま》きつけるものだった。しかし、いつしか植物《しょくぶつ》の繊維《せんい》や動物《どうぶつ》の毛《け》から糸《いと》をつくり、その糸《いと》で「布《ぬの》」を織《お》る技術《ぎじゅつ》が生《う》まれた。

布《ぬの》の発明《はつめい》によって、衣服《いふく》をはじめとするさまざまな生活用品《せいかつようひん》がつくられるようになり、人類《じんるい》の文化《ぶんか》は大《おお》きく発展《はってん》したのだ。

一枚《いちまい》の布《ぬの》の歴史《れきし》をたどると、壮大《そうだい》な世界《せかい》の歴史《れきし》が見《み》えてくる！

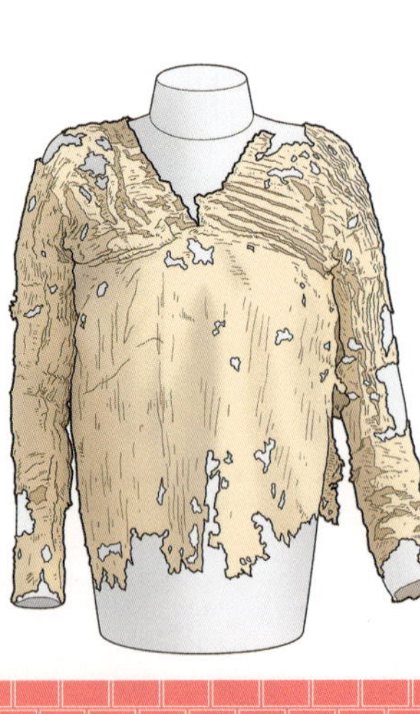

これが、世界《せかい》で一番《いちばん》古《ふる》いドレスなのね！

麻《あさ》

いままでに見《み》つかった布製《ぬのせい》の衣服《いふく》の中《なか》で最古《さいこ》のものは、古代《こだい》エジプトの遺跡《いせき》で発見《はっけん》された「タルカンドレス」。約《やく》5000年前《ねんまえ》に、植物《しょくぶつ》の「麻《あさ》」からつくられたものだ。

絹《きぬ》が結《むす》んだ東《ひがし》と西《にし》の世界《せかい》

絹《きぬ》

絹《きぬ》（シルク）は、蚕《かいこ》の繭《まゆ》を解《と》きほぐして取《と》り出《だ》した糸《いと》で織《お》った布《ぬの》。現在《げんざい》も高級《こうきゅう》な布《ぬの》として知《し》られている。約《やく》5000年前《ねんまえ》の古代《こだい》中国《ちゅうごく》で使《つか》われ始《はじ》めた絹《きぬ》は、その後《ご》、重要《じゅうよう》な貿易品《ぼうえきひん》となり、世界各地《せかいかくち》に伝《つた》わっていった。2000年前《ねんまえ》ごろには、日本《にっぽん》にも絹《きぬ》のつくりかたが伝《つた》わったとされている。

絹《きぬ》（シルク）は、昔《むかし》もいまも高級品《こうきゅうひん》！

中国《ちゅうごく》の特産品《とくさんひん》だった絹《きぬ》は「シルクロード（絹《きぬ》の道《みち》）」を通《つう》じて、遠《とお》くヨーロッパまで運《はこ》ばれた。1～2世紀《せいき》にもっとも栄《さか》えたローマ帝国《ていこく》では、中国《ちゅうごく》（漢《かん》）から届《とど》く絹《きぬ》は、身分《みぶん》の高《たか》い人《ひと》だけが着《き》られる高級品《こうきゅうひん》だったぞ。

無形文化遺産《むけいぶんかいさん》になった日本《にっぽん》の織物《おりもの》「結城紬《ゆうきつむぎ》」

「結城紬《ゆうきつむぎ》」は、茨城県結城市《いばらきけんゆうきし》を中心《ちゅうしん》につくられている絹織物《きぬおりもの》だ。その歴史《れきし》は奈良時代《ならじだい》までさかのぼり、鎌倉時代《かまくらじだい》ごろから全国的《ぜんこくてき》に知《し》られるようになった。結城紬《ゆうきつむぎ》は、いまでも昔《むかし》ながらの方法《ほうほう》でつくられており、2010年《ねん》にユネスコの無形文化遺産《むけいぶんかいさん》に登録《とうろく》された。

結城紬《ゆうきつむぎ》は、「地機《じばた》」と呼《よ》ばれる1000年前《ねんまえ》と変《か》わらない織機《しょっき》で織《お》られている。

明治時代《めいじじだい》に建《た》てられた最初《さいしょ》の官営工場《かんえいこうじょう》（国《くに》が経営《けいえい》する工場《こうじょう》）は、絹糸《きぬいと》をつくるための「富岡製糸場《とみおかせいしじょう》」（群馬県《ぐんまけん》）じゃ。ユネスコ世界遺産《せかいいさん》に登録《とうろく》されておるぞ。

羊毛《ようもう》と綿《めん》と「産業革命《さんぎょうかくめい》」

羊毛《ようもう》

動物《どうぶつ》の毛《け》からつくった糸《いと》(毛糸《けいと》)で織《お》った布《ぬの》を「毛織《けおり》物《もの》」と呼《よ》ぶ。毛織物《けおりもの》の中《なか》でも、ヒツジの毛《け》(羊毛《ようもう》)を材料《ざいりょう》としたものが「ウール」だ。右《みぎ》のイラストは、中世《ちゅうせい》ヨーロッパの羊毛《ようもう》刈《が》りの様子《ようす》。木綿《もめん》(コットン)が広《ひろ》まるまで、ヨーロッパの布《ぬの》はウールが主流《しゅりゅう》だった。

カウナケス

フリンジ(房飾《ふさかざ》り)が特徴的《とくちょうてき》な衣服《いふく》「カウナケス」を着《き》る古代《こだい》メソポタミアの人物像《じんぶつぞう》。毛《け》織物《おりもの》は、ヒツジを家畜《かちく》化《か》したメソポタミア文《ぶん》明《めい》で、約《やく》5000年《ねん》前《まえ》に生《う》まれた。

布《ぬの》の歴史《れきし》を変《か》えたナイロンの発明《はつめい》！

植《しょく》物《ぶつ》や動物《どうぶつ》の繊維《せんい》を原料《げんりょう》とする布《ぬの》に、大《おお》きな変化《へんか》をもたらしたのが合成繊維《ごうせいせんい》「ナイロン」の発明《はつめい》だ。1935年《ねん》にアメリカの化学《かがく》メーカー、デュポン社《しゃ》が開発《かいはつ》した「ナイロン」は、天然繊維《てんねんせんい》に比《くら》べて摩擦《まさつ》に強《つよ》く、伸縮性《しんしゅくせい》が高《たか》く、濡《ぬ》れても乾《かわ》きやすい特徴《とくちょう》があり、さまざまなものに使《つか》われている。

ヤギの軟毛《なんもう》からつくる「カシミア」は、最高級《さいこうきゅう》の毛織物《けおりもの》として有名《ゆうめい》じゃ。インドのカシミール地方《ちほう》の特産品《とくさんひん》だったことから名付《なづ》けられたぞ。

インド綿《めん》はヨーロッパで流行《りゅうこう》したわ…

綿《めん》

綿《めん》（コットン）は、植物《しょくぶつ》の「綿《わた》」の綿花《めんか》からとった糸《いと》で織《お》られた布《ぬの》。約《やく》7000 年前《ねんまえ》に古代《こだい》インド（インダス文明《ぶんめい》）で生《う》まれ、その後《ご》、各地《かくち》に広《ひろ》まったと考《かんが》えられている（※）。

綿糸《めんし》を紡《つむ》ぐインドの女性《じょせい》。

インド綿《めん》の人気《にんき》が、織物《おりもの》の機械化《きかいか》をうながした！

産業革命《さんぎょうかくめい》

17 世紀《せいき》にイギリスがインドを支配《しはい》すると、インド綿《めん》がヨーロッパに広《ひろ》まった。18 世紀《せいき》にはイギリスで蒸気機関《じょうききかん》を使《つか》った機械《きかい》でものを生産《せいさん》する「産業革命《さんぎょうかくめい》」が始《はじ》まったが、最初《さいしょ》につくられた機械《きかい》は、「紡績機《ぼうせきき》」や「力織機《りきしょっき》」と呼《よ》ばれる木綿《もめん》をつくるための機械《きかい》だった。

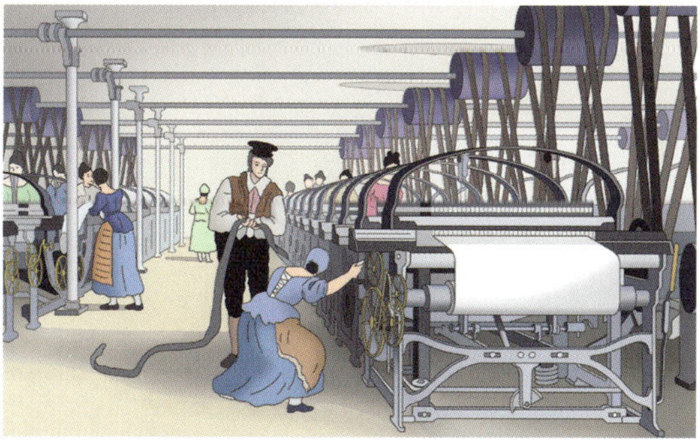

キミの服《ふく》は何《なに》からできているかな？
浴衣《ゆかた》やジーンズ、Tシャツ《ティー》は、代表的《だいひょうてき》な綿製品《めんせいひん》だよ！

※中央《ちゅうおう》アメリカや南《みなみ》アメリカでは、約《やく》8000 年前《ねんまえ》に綿花《めんか》の栽培《さいばい》が始《はじ》まったと考《かんが》えられている。

そう！背筋《せすじ》をまっすぐ伸《の》ばして！本《ほん》が落《お》ちないように堂《どう》どうと歩《ある》くの!!
スタ
スタ
難《むずか》しすぎやって…やっぱりアニキはさすがやわ～…
これくらいできて当然《とうぜん》さ…
FILE. 3
キュートなだけじゃ…
しかしウェンディー…肝心《かんじん》の服《ふく》はだいじょうぶなん？
スタイル画《が》がまだできてないんやろ？
大《おお》きなお世話《せわ》ね！分《わ》かってるわよ!!
ショーの開催《かいさい》まであと３日《か》…
もう、時間《じかん》が足《た》りないんじゃ…!?
あんまりムリせんと、次回《じかい》のショーに参加《さんか》したらええんやない？
ふぅー

ダメなのよ…今回《こんかい》じゃなきゃダメなの！
何《なに》か特別《とくべつ》な理由《りゆう》があるのか？
今回《こんかい》のショーは、審査委員長《しんさいいんちょう》がマリー・クワントなの!!
…だれや、それ？
ヴヴヴ…
マリー・クワントも知《し》らないの!? 彼女《かのじょ》は――――……
ポンッ
わっ、なんやこれ！
私《わたくし》はシプジ！
探索《たんさく》をお助《たす》けするスマタンの最新《さいしん》アプリです！

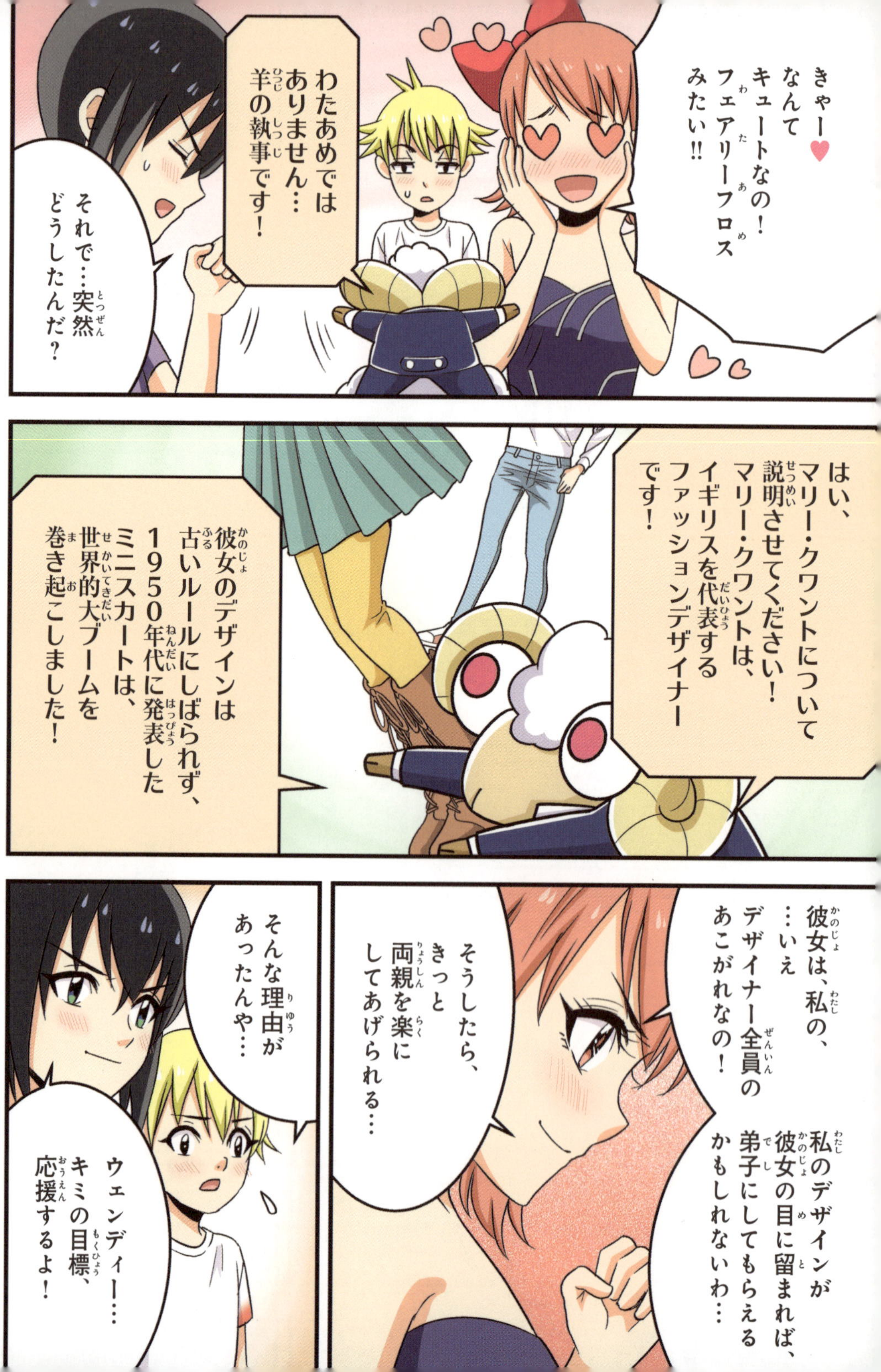

きゃー♥
なんてキュートなの！フェアリーフロス《わたあめ》みたい!!
わたあめではありません…羊《ひつじ》の執事《しつじ》です！
それで…突然《とつぜん》どうしたんだ？
はい、マリー・クワントについて説明《せつめい》させてください！マリー・クワントは、イギリスを代表《だいひょう》するファッションデザイナーです！
彼女《かのじょ》のデザインは古《ふる》いルールにしばられず、1950年代《ねんだい》に発表《はっぴょう》したミニスカートは、世界的《せかいてき》大《だい》ブームを巻《ま》き起《お》こしました！
彼女《かのじょ》は、私《わたし》の、…いえ デザイナー全員《ぜんいん》のあこがれなの！
私《わたし》のデザインが彼女《かのじょ》の目《め》に留《と》まれば、弟子《でし》にしてもらえるかもしれないわ…
そうしたら、きっと両親《りょうしん》を楽《らく》にしてあげられる…
そんな理由《りゆう》があったんや…
ウェンディー…キミの目標《もくひょう》、応援《おうえん》するよ！

2人《り》とも…
そうだ!!
つくりたい服《ふく》のイメージがわいたわ!!
ほんまか!?
ええ！あなたを見《み》て、ビビッときたの！
え？

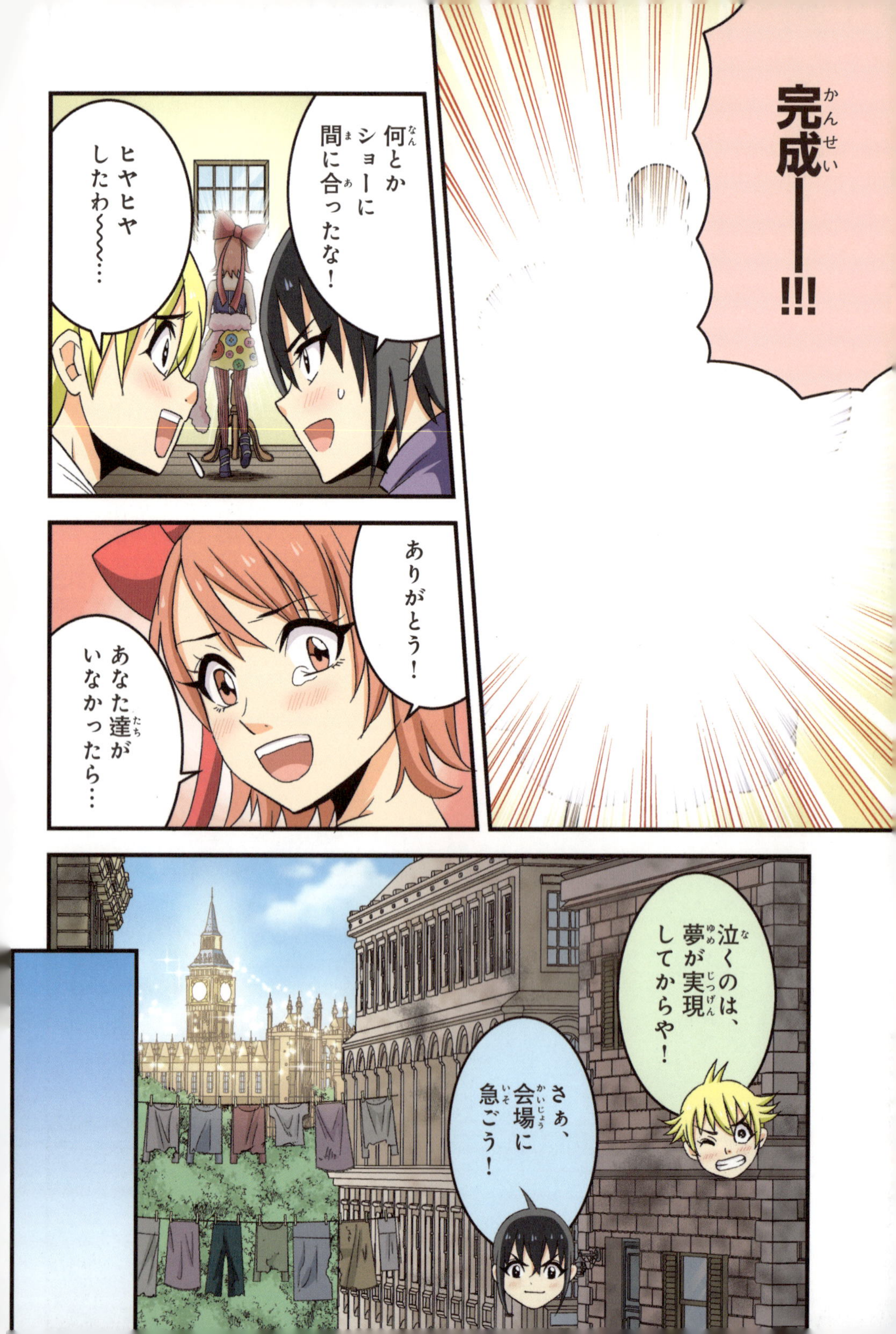
完成《かんせい》ーー!!!
何《なん》とかショーに間《ま》に合《あ》ったな!
ヒヤヒヤしたわ〜〜〜…
ありがとう!
あなた達《たち》がいなかったら…
泣《な》くのは、夢《ゆめ》が実現《じつげん》してからや!
さぁ、会場《かいじょう》に急《いそ》ごう!

ザザッ
ガヤ
ガヤ
ガヤ
さあ、私達《わたしたち》も最《さい》後《ご》の仕《し》上《あ》げよ！
ああ!!
じゃあ、オレは客席《きゃくせき》に…
アニキ、応援《おうえん》してるで！
ああ！謎《なぞ》解《と》きのことも忘《わす》れずにな！

ガヤ
ガヤ
ガヤ
あの子《こ》、だいじょうぶかしらね…
うん…
すごい人《ひと》やな!こっちまで緊張《きんちょう》するわ〜!!
ほえ〜
フッ
パァッ
1人《り》が起《お》こす波紋《はもん》…

それはほんとうに小《ちい》さい…でも、それが2人《り》なら？ 3人《にん》なら？
審査委員長《しんさいいんちょう》
マリー・クワント
大勢《おおぜい》で波紋《はもん》を起《お》こせば、それは大《おお》きな波《なみ》となり、世界《せかい》を飲《の》みこむ流行《りゅうこう》をつくれる！
私《わたし》といっしょに次《つぎ》の流行《りゅうこう》をつくってくれる有望《ゆうぼう》な若手《わかて》が出《で》てくることを願《ねが》ってるわ！
パチパチ
あれが、ウェンディーあこがれの人《ひと》やな!!
それでは、ショーのスタート！
どれも個性的《こせいてき》で街《まち》で着《き》るにはハードルが高《たか》そうやな～…
それについても私《わたくし》がお答《こた》えしましょう！

ファッションショーは、デザイナーの個性《こせい》と技《わざ》を見《み》せる場《ば》なのです！
注目《ちゅうもく》を集《あつ》めるために派手《はで》で奇抜《きばつ》な服《ふく》をモデルに着《き》させるデザイナーもいたりするのです！
注目《ちゅうもく》を集《あつ》めた服《ふく》は、普段《ふだん》着《き》る服《ふく》に仕立《した》て直《なお》されて、販売《はんばい》されることもあります！
へ〜、そういうことやったんや〜…
おっ、そろそろアニキの出番《でばん》や！
どきどき
優一《ゆういち》、頼《たの》んだわよ！
ああ！
だいじょうぶ…オレならやれる…!!
ドクン
ドクン
ザッ

わああっ

!?
ぐらっ
いたっ…
グギッ
しまった！
足首《あしくび》を痛《いた》め…
ウェンディーの
夢《ゆめ》を…
パチパチパチパチ
パチパチ
オレのせいで
台《だい》なしになんか
させるか…！

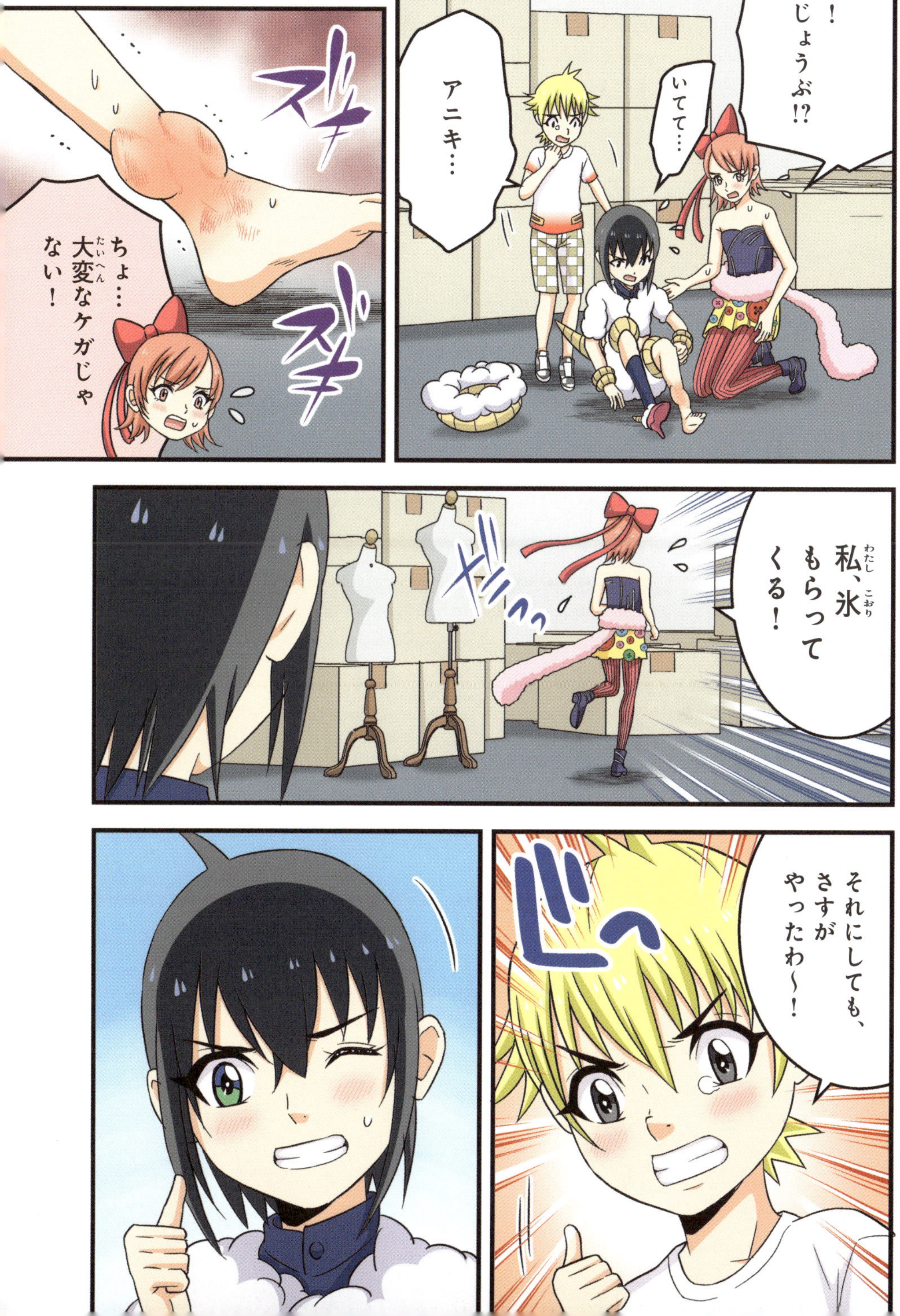
優一《ゆういち》! だいじょうぶ!?
いてて…
アニキ…
ズキ
ズキ
ちょ…大変《たいへん》なケガじゃない!
私《わたし》、氷《こおり》もらってくる!
それにしても、さすがやったわ〜!

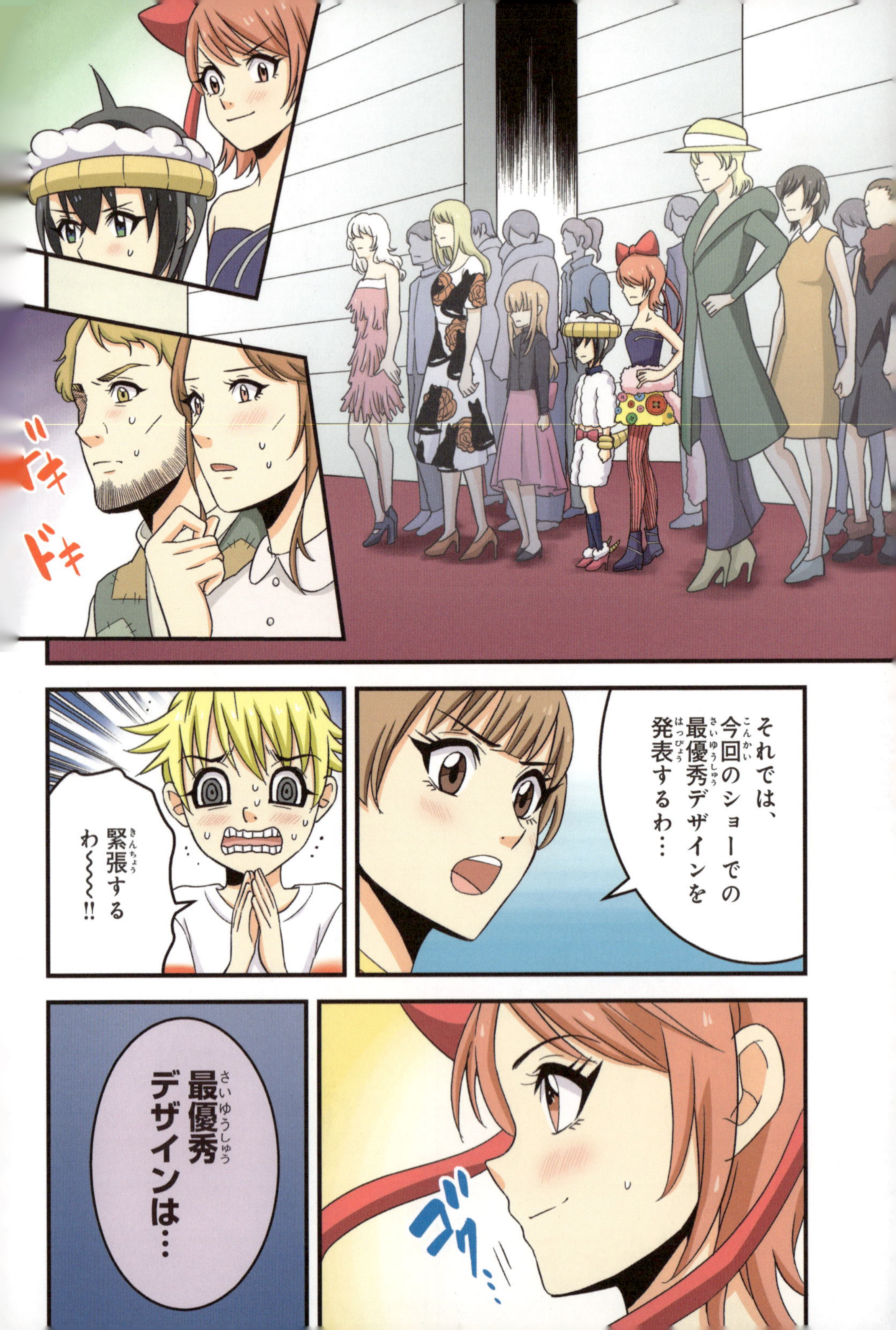
ドキ
ドキ
それでは、今回《こんかい》のショーでの最優秀《さいゆうしゅう》デザインを発表《はっぴょう》するわ…
緊張《きんちょう》するわ〜〜〜!!
ゴク…
最優秀《さいゆうしゅう》デザインは…

エリス・ダラン！
わっ
あなたの服《ふく》が1番《ばん》よ!!

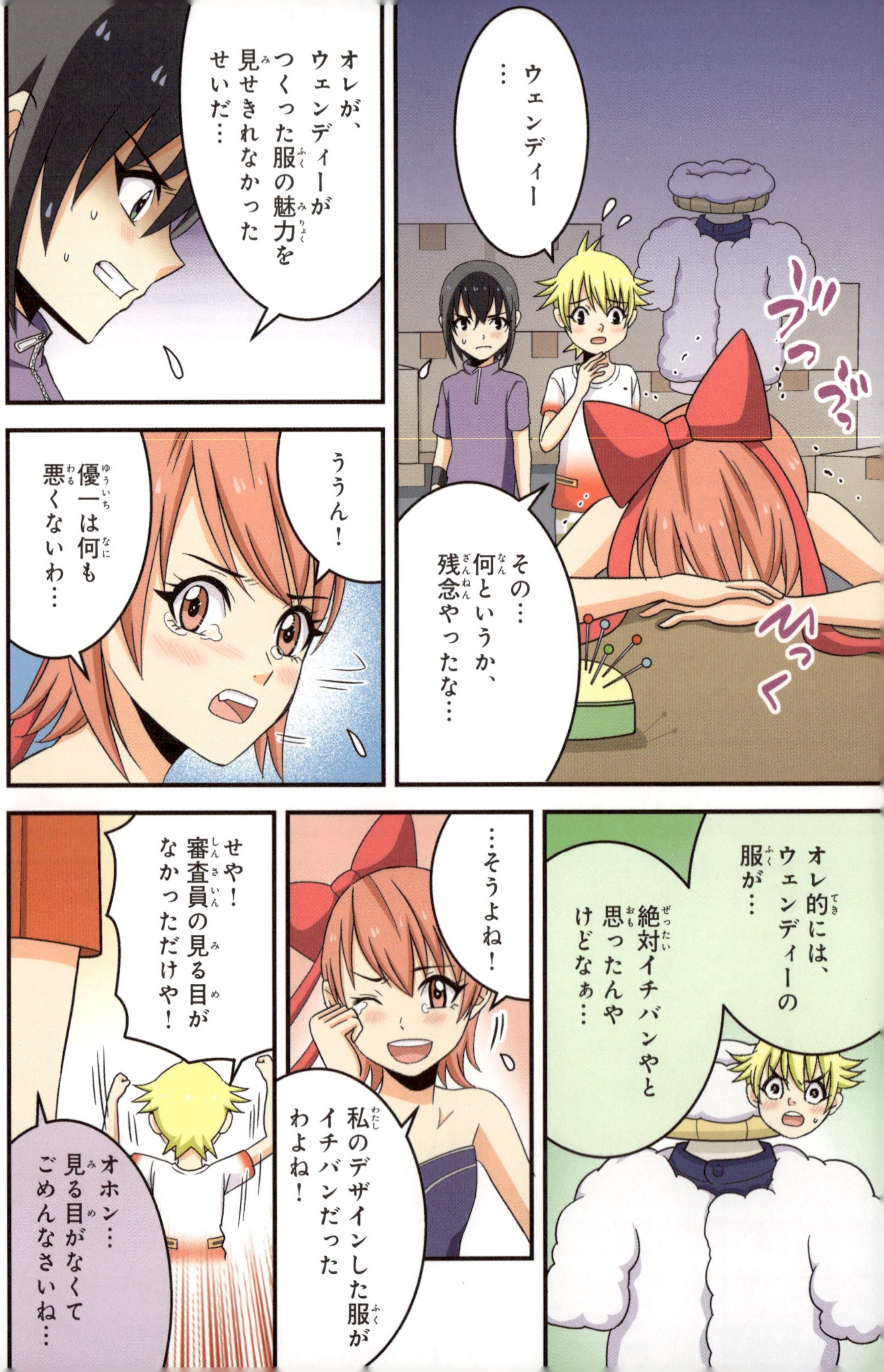
ウェンディー…
ゔっ ゔっ
ひっく
その…何《なん》というか、残念《ざんねん》やったな…
オレが、ウェンディーがつくった服《ふく》の魅力《みりょく》を見《み》せきれなかったせいだ…
ううん！
優一《ゆういち》は何《なに》も悪《わる》くないわ…
オレ的《てき》には、ウェンディーの服《ふく》が…
絶対《ぜったい》イチバンやと思《おも》ったんやけどなぁ…
…そうよね！
私《わたし》のデザインした服《ふく》がイチバンだったわよね！
せや！審査員《しんさいん》の見《み》る目《め》がなかっただけや！
オホン…見《み》る目《め》がなくてごめんなさいね…

スタ
スタ
マリーさん!? えっ、いや…いまのは何《なん》というか…
ウェンディー…だったかしら？
マリーさん！私《わたし》が最優秀《さいゆうしゅう》じゃなかったのはなぜ!?
私《わたし》の出番《でばん》のときが会場《かいじょう》もイチバン盛《も》り上《あ》がっていました！
たしかに、あなたの服《ふく》は、飛《と》びぬけて奇抜《きばつ》だった…
でも…あなたの服《ふく》からは〝思《おも》い〟が伝《つた》わってこなかったわ…
〝思《おも》い〟…

あなたは、衣服《いふく》が紡《つむ》いできた歴史《れきし》をちゃんと勉強《べんきょう》してきた？
もともと、衣服《いふく》は危険《きけん》から身《み》を守《まも》るためのものだったけれど…
いつしか衣服《いふく》は、実用性《じつようせい》に留《とど》まらず、個性《こせい》を主張《しゅちょう》するためのものへと移《うつ》り変《か》わっていった…
一枚《いちまい》の布《ぬの》から生《う》み出《だ》される衣服《いふく》だけじゃなく…
着飾《きかざ》るにはアクセサリーも大切《たいせつ》よ！
知《し》るべきことはまだまだたくさんあるわ!!
難《むずか》しすぎて…よく分《わ》かりません…
すっ
この本《ほん》を読《よ》んでみて…
マリーさん…

あれからずっとあのままや…
しばらくそっとしておいてやろう…
オレ達《たち》には謎《なぞ》解《と》きもあるからな…
せやけど…この会場《かいじょう》にはこれといったものは何《なん》も…
アニキは、ランウェイを歩《ある》いてて何《なに》か気《き》づいたりせんかった？
歴史《れきし》は
…色《いろ》…数《かぞ》えきれないくらいたくさんの色《いろ》が見《み》えた！
せや、色《いろ》や！マリー・クワントは、カラータイツを発明《はつめい》した人《ひと》らしいし!!
色《いろ》で決《き》まりや！
ピッ
歴史《れきし》は
いろとりどり！
ENTER

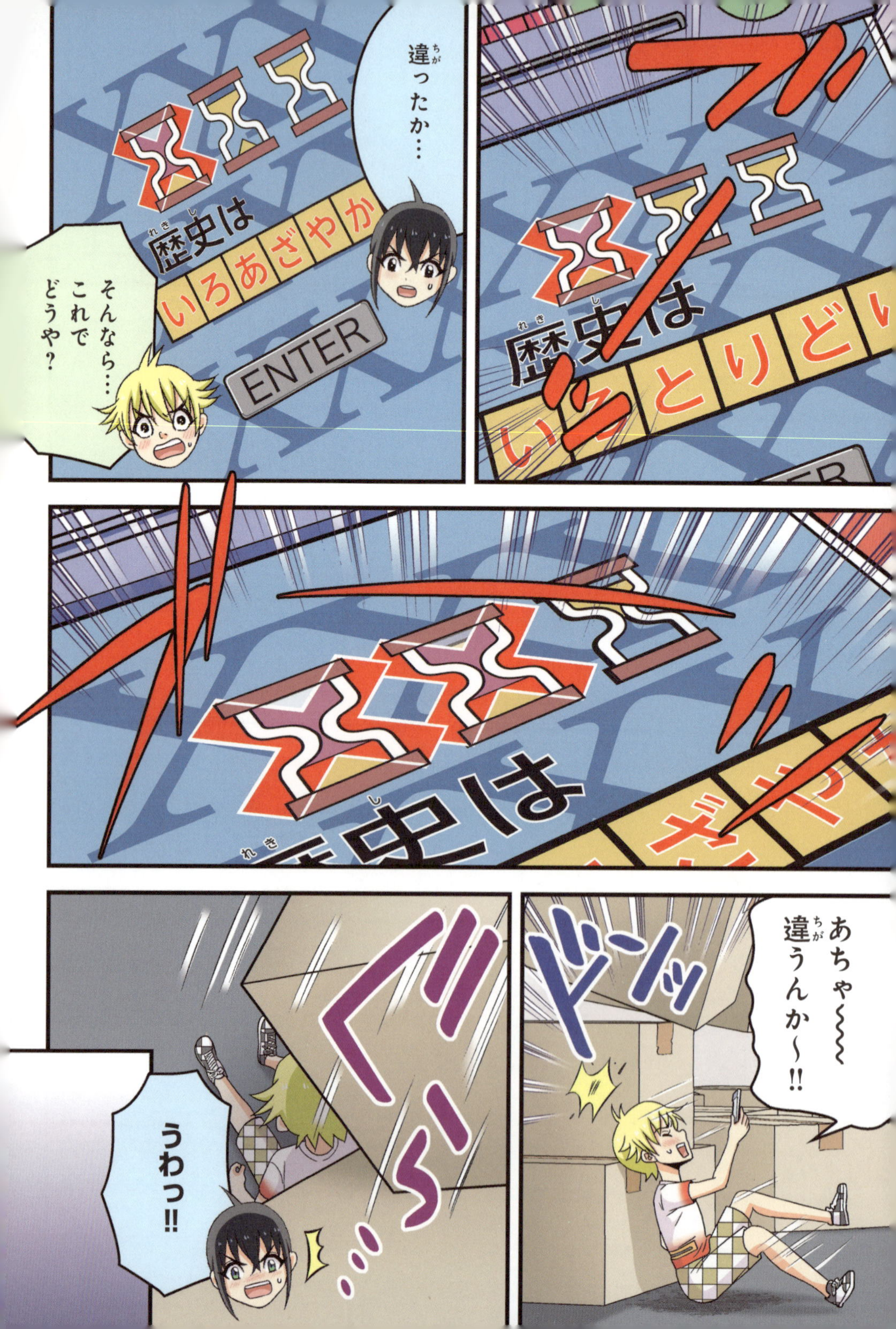

歴史《れきし》は
いろとりど
違《ちが》ったか…
歴史《れきし》は
いろあざやか
ENTER
そんなら…これでどうや？
歴史《れきし》は
あちゃ〜〜〜 違《ちが》うんか〜!!
ドンッ
うわっ!!

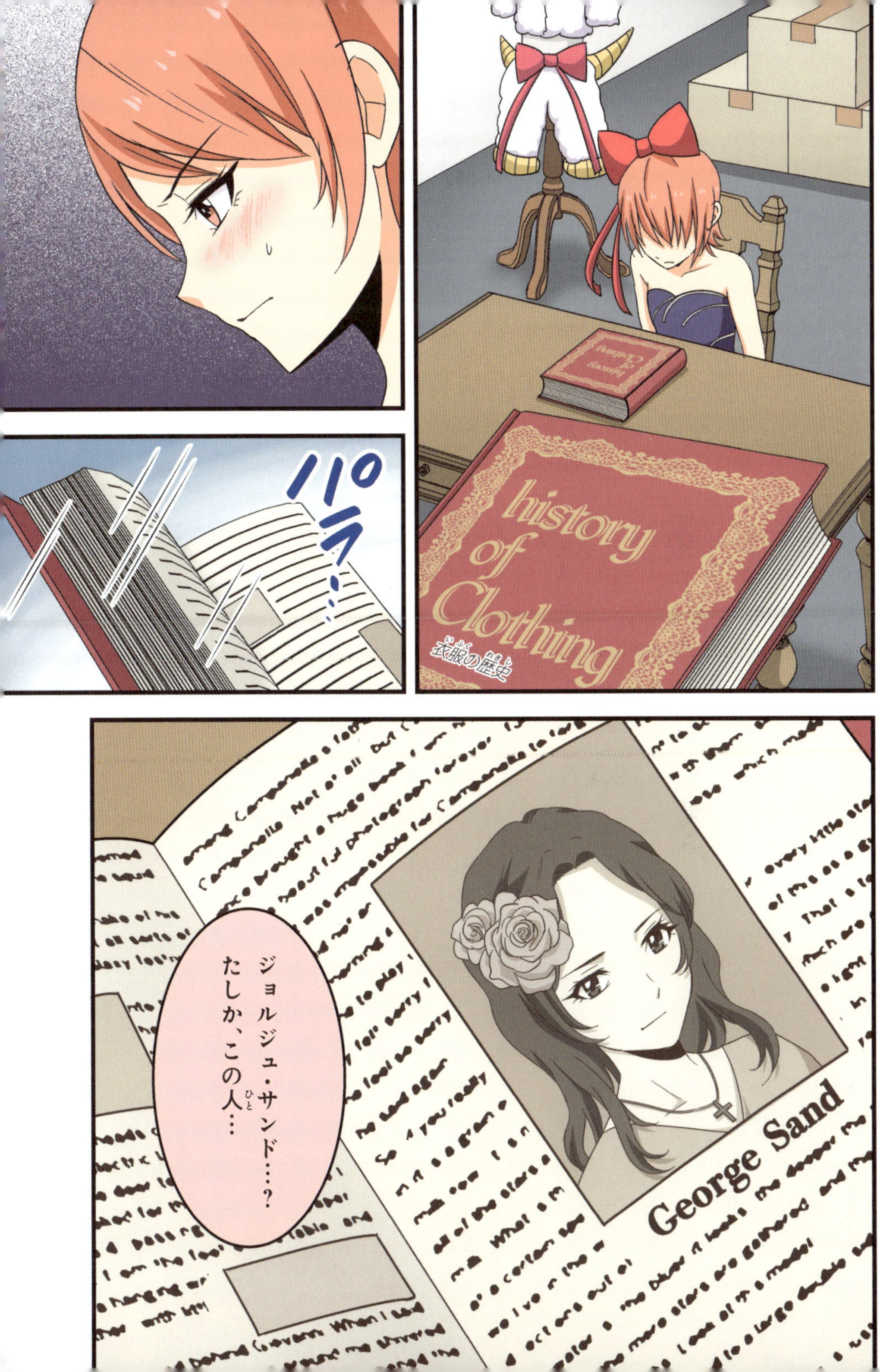
history of Clothing
衣服《いふく》の歴史《れきし》
パラ……
ジョルジュ・サンド…？
たしか、この人《ひと》…
George Sand

コナンの推理《すいり》NOTE《ノート》

“キラキラ”“モフモフ”が気《き》になるのは、なぜ？

人《ひと》びとを魅了《みりょう》してきた、黄金《おうごん》や宝石《ほうせき》、毛皮《けがわ》の力《ちから》を解《と》き明《あ》かそう！

現《げん》代《だい》のファッションやオシャレにも欠《か》かせない、〝キラキラ〟した金《きん》や宝石《ほうせき》、〝モフモフ〟した毛皮《けがわ》は、どれも簡単《かんたん》には手《て》に入《はい》らない貴重品《きちょうひん》。昔《むかし》から、身分《みぶん》の高《たか》い人《ひと》が自分《じぶん》の力《ちから》を示《しめ》すもの（威信財《いしんざい》）として扱《あつか》われてきた。そのため、〝キラキラ〟や〝モフモフ〟を手《て》に入《い》れたいという欲望《よくぼう》は、歴史《れきし》を動《うご》かす力《ちから》にもなったのだ。

地球上《ちきゅうじょう》にある金《きん》の量《りょう》をすべて足《た》しても、その量《りょう》は、わずか「オリンピックの公式《こうしき》プール約《やく》4杯分《はいぶん》」といわれておるぞ。金《きん》はとても貴重《きちょう》な金属《きんぞく》なのじゃ。

「世界最古《せかいさいこ》の黄金文明《おうごんぶんめい》」トラキア

トラキア

バルカン半島東部《はんとうとうぶ》（現在《げんざい》のブルガリア、ギリシャ、トルコにまたがる地域《ちいき》）で栄《さか》えたトラキア文明《ぶんめい》は、その遺跡《いせき》からたくさんの黄金製品《おうごんせいひん》が発見《はっけん》されたため「世界最古《せかいさいこ》の黄金文明《おうごんぶんめい》」とも呼《よ》ばれている。トラキア文明《ぶんめい》がもっとも栄《さか》えたのは紀元前《きげんぜん》5～3世紀《せいき》ごろのことだったが、エジプト文明《ぶんめい》やメソポタミア文明《ぶんめい》より古《ふる》い時代《じだい》、約《やく》6000年前《ねんまえ》の黄金製品《おうごんせいひん》も発見《はっけん》されているのだ。

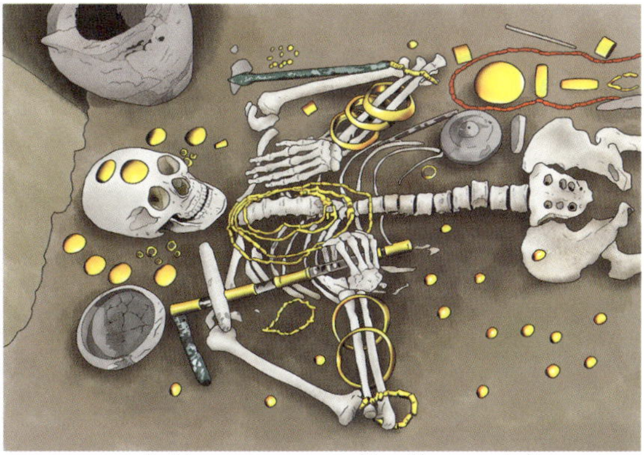

ブルガリアで発見《はっけん》されたトラキア人《じん》の墓《はか》には、遺体《いたい》とともにたくさんの黄金製品《おうごんせいひん》が葬《ほうむ》られていた。

トラキア文明《ぶんめい》の遺跡《いせき》で発見《はっけん》された、黄金製《おうごんせい》の耳飾《みみかざ》り（左《ひだり》）と首飾《くびかざ》り（右《みぎ》）。とても精巧《せいこう》な細工《さいく》がほどこされている。

世界《せかい》にはまだある！ 黄金《おうごん》の宝物《たからもの》

黄金《おうごん》の“キラキラ”は、大昔《おおむかし》から世界中《せかいじゅう》の人《ひと》びとを魅了《みりょう》してきた。トラキア文明《ぶんめい》だけでなく世界各地《せかいかくち》の遺跡《いせき》から、さまざまな黄金製品《おうごんせいひん》が発見《はっけん》されているぞ。❶古代《こだい》ローマの黄金製《おうごんせい》のブレスレット、❷シカン文化《ぶんか》の黄金製《おうごんせい》の祭具《さいぐ》、❸エジプト文明《ぶんめい》の黄金製《おうごんせい》のイス。

❶

❷

❸

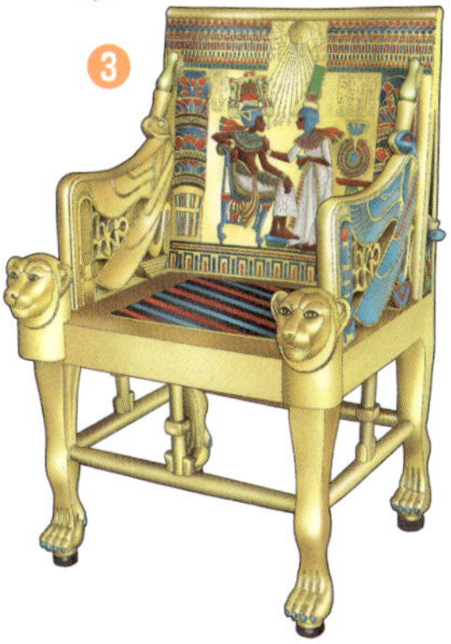

☞①～③についてくわしくは、『世界史探偵《せかいしたんてい》コナン』「第《だい》8巻《かん》 古代都市《こだいとし》ポンペイの真実《ミステリー》」「第《だい》9巻《かん》 マヤ文明《ぶんめい》の真実《ミステリー》」「第《だい》1巻《かん》 大《だい》ピラミッドの真実《ミステリー》」を読《よ》もう！

大帝国《だいていこく》を生《う》んだ毛皮《けがわ》の“モフモフ”

ルイ14世《せい》は、フランス王国《おうこく》がもっとも栄《さか》えた時代《じだい》（17～18世紀《せいき》）の王《おう》だ。その肖像画《しょうぞうが》には、シロテン（オコジョ）という動物《どうぶつ》の毛皮《けがわ》を裏地《うらじ》に使《つか》ったマントを羽織《はお》った姿《すがた》が残《のこ》されている。マントの白《しろ》い部分《ぶぶん》に見《み》える黒《くろ》い点《てん》は、シロテンの尻尾《しっぽ》の先《さき》の部分《ぶぶん》だ。たった一枚《いちまい》のマントに、驚《おどろ》くほどたくさんのシロテンの毛皮《けがわ》が使《つか》われていたことが分《わ》かる。

ルイ14世《せい》

マントの白《しろ》い
部分《ぶぶん》はすべて、
シロテンの毛皮《けがわ》よ…

毛皮《けがわ》を求《もと》めて、東《ひがし》へ、東《ひがし》へ！

ロシア帝国《ていこく》
モスクワ
14世紀《せいき》の領土《りょうど》
19世紀《せいき》の領土《りょうど》

ロシア帝国《ていこく》は、18～20世紀《せいき》にかけてユーラシア大《たい》陸北部《りくほくぶ》に栄《さか》えた帝国《ていこく》だ。その主《おも》な産業《さんぎょう》はヨーロッパへの毛皮《けがわ》の輸出《ゆしゅつ》だった。テンやキツネ、ラッコなどの貴《き》重《ちょう》な毛皮《けがわ》を求《もと》めて、ロシア帝国《ていこく》は東《ひがし》へ東《ひがし》へと領土《りょうど》を拡《かく》大《だい》。“モフモフ”が巨大帝国《きょだいていこく》の建設《けんせつ》につながったのだ。

クロテン

シベリア地方《ちほう》に棲《す》む動物《どうぶつ》クロテンの毛《け》皮《がわ》（セーブル）は、現在《げんざい》でも高級品《こうきゅうひん》として知《し》られている。

かわいそう…

人類《じんるい》をとりこにした宝石《ほうせき》の"キラキラ"

ダイヤモンド

宝石《ほうせき》の代表《だいひょう》がダイヤモンドだ。19世《せい》紀《き》にダイヤモンドの生産地《せいさんち》であるインドや南《みなみ》アフリカを支配《しはい》したイギリス王室《おうしつ》の王冠《おうかん》と王笏《おうしゃく》（杖《つえ》）には、巨《きょ》大《だい》なダイヤモンドが使《つか》われている。

なんて豪華《ごうか》なの！

ここに注目《ちゅうもく》！

宝石《ほうせき》で豪華《ごうか》に飾《かざ》られたイギリス王《おう》室《しつ》の王冠《おうかん》と王笏《おうしゃく》（杖《つえ》）。

ルビー
サファイア
エメラルド

三大宝石《さんだいほうせき》

古代《こだい》から価値《かち》の高《たか》い宝《ほう》石《せき》とされたルビー、サファイア、エメラルドは、インドが主《おも》な産地《さんち》だ。ムガル帝国《ていこく》（※）の皇后《こうごう》は、「三大宝石《さんだいほうせき》」をたくさん身《み》につけていたぞ。白《しろ》いものは真《しん》珠《じゅ》やダイヤモンドだ。

すごくすてきだわ！

オシャレの歴史《れきし》は、きれいなだけじゃないんだ…

ヒスイは日本《にっぽん》の特産品《とくさんひん》！

日本《にっぽん》では約《やく》5000年前《ねんまえ》から、ヒスイという宝石《ほうせき》がアクセサリーに使《つか》われていた。日《にっ》本《ぽん》は世界有数《せかいゆうすう》のヒスイの産地《さんち》だ。

動物愛護《どうぶつあいご》の考《かんが》えかたから、現在《げんざい》は毛皮《けがわ》に代《か》わって合成繊維《ごうせいせんい》やウールなどでつくった「フェイクファー（模造毛皮《もぞうけがわ》）」が使《つか》われるようになっているぞ。

※ムガル帝国《ていこく》……16～19世紀《せいき》にかけてインドを支配《しはい》した国《くに》。

コナンの推理《すいり》NOTE《ノート》

風土《ふうど》と歴史《れきし》が育《はぐく》んだ！ 世界《せかい》の民族《みんぞく》衣装《いしょう》大《だい》図鑑《ずかん》

民族《みんぞく》衣装《いしょう》は、世界《せかい》の人《ひと》びとの営《いとな》みを映《うつ》し出《だ》す鏡《かがみ》だ！

世界《せかい》には「洋服《ようふく》」以外《いがい》にも、さまざまな「服《ふく》」があるぞ！

現《げん》代《だい》では「服《ふく》」というと「洋服《ようふく》」を指《さ》すことが多《おお》いが、洋服《ようふく》は「西洋《せいよう》（ヨーロッパ）とアメリカの服《ふく》」という意味《いみ》の言葉《ことば》だ。これに対《たい》して、日本《にっぽん》の伝統的《でんとうてき》な衣服《いふく》を「和服《わふく》」と呼《よ》ぶ。和服《わふく》が日本《にっぽん》の風土《ふうど》に合《あ》わせて生《う》み出《だ》されてきたように、西洋《せいよう》の文化《ぶんか》が広《ひろ》まる前《まえ》から、世界《せかい》の各地《かくち》の人《ひと》びとは、自分《じぶん》達《たち》が暮《く》らす風土《ふうど》に合《あ》った衣服《いふく》を工夫《くふう》し、着《き》こなしてきたぞ。

日本《にっぽん》の民族衣装《みんぞくいしょう》「着物《きもの》」

江戸時代《えどじだい》まで

「和服《わふく》」と総称《そうしょう》される着物《きもの》や浴衣《ゆかた》のルーツは、平安時代《へいあんじだい》の貴族《きぞく》が下着《したぎ》として着《き》ていた「小袖《こそで》」にある。その小袖《こそで》が発展《はってん》し、室町時代《むろまちじだい》から江戸時《えどじ》代《だい》にかけて、現在《げんざい》のような形《かたち》になった。

江戸時代《えどじだい》の浮世絵《うきよえ》には、さまざまなスタイルの着物《きもの》が描《えが》かれている。

西洋《せいよう》から「洋服《ようふく》」がやってきた！

明治時代《めいじじだい》

「洋服《ようふく》」が伝《つた》わった明治時代《めいじじだい》の街並《まちな》みを描《えが》いた浮世絵《うきよえ》には、「和服《わふく》」と「洋服《ようふく》」が入《い》り交《ま》じった様子《ようす》が残《のこ》されている。

明治時代《めいじじだい》に西洋《せいよう》から「洋服《ようふく》」が伝《つた》わったあとも、昭和《しょうわ》の中《なか》ごろになるまで、普段着《ふだんぎ》には「和服《わふく》」を着用《ちゃくよう》するのが一般的《いっぱんてき》じゃったぞ。

これが世界《せかい》の民族衣装《みんぞくいしょう》だ！

世界各地《せかいかくち》に暮《く》らしているさまざまな民族《みんぞく》が身《み》につけている、独特《どくとく》な衣装《いしょう》のことを「民族衣装《みんぞくいしょう》」と呼《よ》ぶ。民族《みんぞく》衣装《いしょう》には、その民族《みんぞく》が暮《く》らす地域《ちいき》の自然《しぜん》や歴史《れきし》があらわれているぞ。

①グリーンランド

北極圏《ほっきょくけん》に暮《く》らすイヌイットは、防寒《ぼうかん》のためにアザラシなどの皮《かわ》でつくった全身《ぜんしん》を覆《おお》う衣服《いふく》を着《き》ていた。16世紀《せいき》にヨーロッパ文化《ぶんか》が伝《つた》わり、色鮮《いろあざ》やかな毛織物《けおりもの》の衣服《いふく》も着《き》るようになった。

②ペルー

ペルーのアンデス地方《ちほう》で暮《く》らす先住民《せんじゅうみん》の民族衣装《みんぞくいしょう》は、インカ帝国《ていこく》（※）以《い》前《ぜん》まで歴史《れきし》をさかのぼる。アルパカの毛《け》と麻《あさ》で織《お》った色鮮《いろあざ》やかな上衣《うわぎ》「ポンチョ」が特徴《とくちょう》だ。

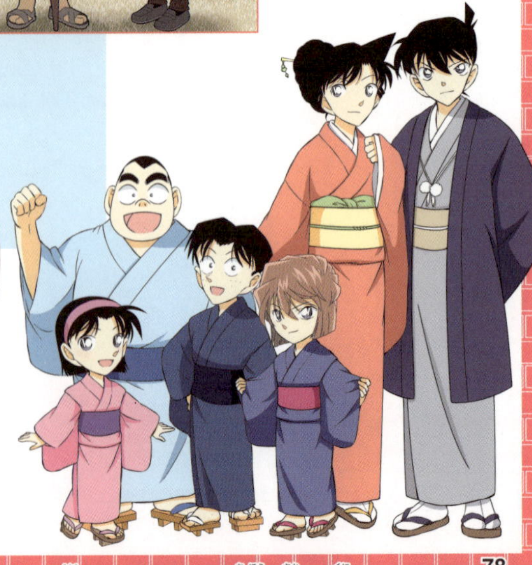

※インカ帝国《ていこく》……13～16世紀《せいき》にかけて南《みなみ》アメリカのアンデス地方《ちほう》に栄《さか》えた国《くに》。

古代中国《こだいちゅうごく》の衣服《いふく》は、上半身《じょうはんしん》に着《き》る「衣《い》」と、下半身《かはんしん》につける「裳《しょう》」からなっていたぞ。衣服《いふく》をあらわす「衣裳《いしょう》」という言葉《ことば》は、そこから生《う》まれたんじゃ。

③モンゴル

遊牧民《ゆうぼくみん》のモンゴル民族《みんぞく》の伝統《でんとう》衣装《いしょう》「デール」は、全身《ぜんしん》を覆《おお》う長《なが》い袖《そで》と裾《すそ》が特徴《とくちょう》。馬《うま》に乗《の》りやすいよう、裾《すそ》が大《おお》きく開《ひら》くつくりになっている。

④イギリス

イギリス北部《ほくぶ》のスコットランド地方《ちほう》では、男性《だんせい》もスカートのような「キルト」を着用《ちゃくよう》する。鮮《あざ》やかな格子柄《こうしがら》の「タータンチェック」が特徴《とくちょう》だ。

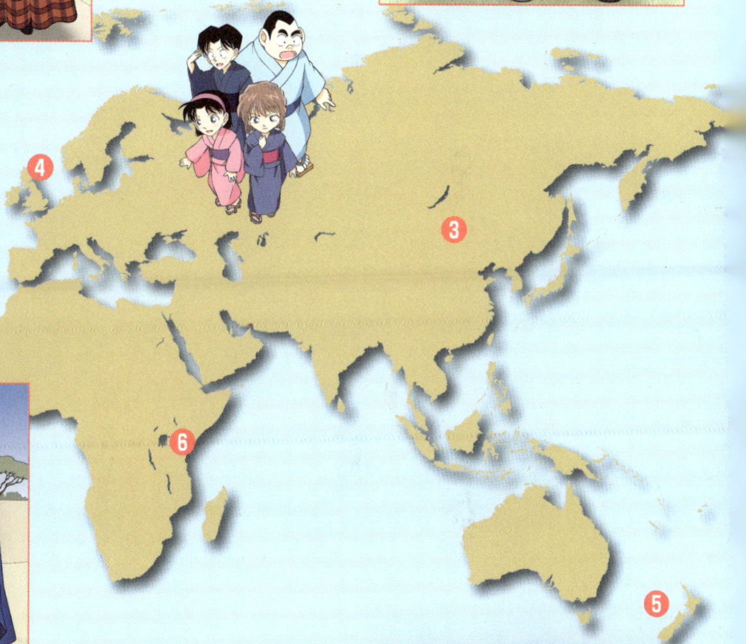

⑥ケニア

ケニアやタンザニアなど東《ひがし》アフリカの国《くに》ぐにで着用《ちゃく よう》されている民族衣装《みんぞくいしょう》「カンガ」。色鮮《いろあざ》やかな木綿《もめん》の大《おお》きな布《ぬの》をからだに巻《ま》きつける衣服《いふく》だ。

⑤ニュージーランド

ニュージーランドは高温多湿《こうおんたしつ》な熱帯雨林《ねったいうりん》が多《おお》いため、先住民《せんじゅうみん》マオリの民族衣装《みんぞくいしょう》は、からだを覆《おお》う面積《めんせき》がせまい。草《くさ》の葉《は》を乾燥《かんそう》させてつくった腰巻《こしまき》「ピウピウ」が特徴《とくちょう》だ。

FILE.4 活動家《かつどうか》ジョルジュ・サンド

あきらかに、さっきまでいた場所《ばしょ》と違《ちが》う…
Journal Parisien
4 septembre 1840
コレ、きっと新聞《しんぶん》なんやろうけど…読《よ》めへんわ！
ピローーッ
それはパリ新聞《しんぶん》…日付《ひづけ》は1840年《ねん》みたいだね！
1840年《ねん》のパリだと…!?
ガチャッ
勝手《かって》にタイムドリフトしたっちゅうことか!?
おい、お前達《まえたち》!!
ここで何《なに》やってる!! まさか!?
おい!! 他社《たしゃ》のスパイだぞ！
スパイやと!? んな、アホな!!

ジタ
バタ
は、放《はな》せ！
オレらはスパイなんかやないんやって〜！
バキッ
ボキッ
どこの手先《てさき》か吐《は》かせてやる！覚悟《かくご》しろ!!
ヒ…
待《ま》つんだ！

その2人《り》は私《わたし》のアシスタントだ！放《はな》してやってくれ！
この新聞社《しんぶんしゃ》を案内《あんない》する約束《やくそく》だったんだが、私《わたし》が遅《おく》れてね…
またお前《まえ》か…
分《わ》かった…放《はな》してやれ…
すまなかった…
…うむ…

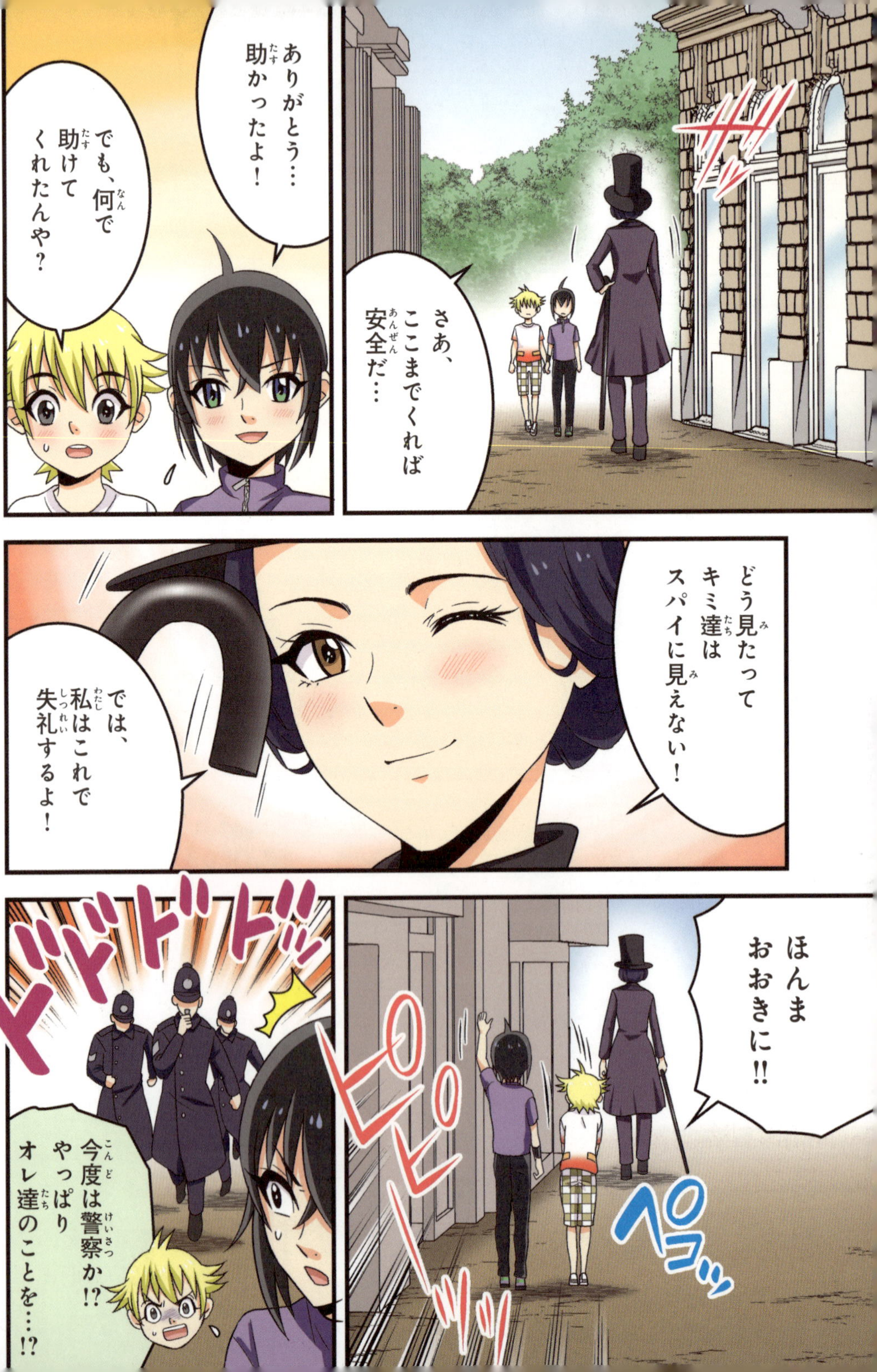

さあ、ここまでくれば安全《あんぜん》だ…
ありがとう…助《たす》かったよ！
でも、何《なん》で助《たす》けてくれたんや？
どう見《み》たってキミ達《たち》はスパイに見《み》えない！
では、私《わたし》はこれで失礼《しつれい》するよ！
ほんまおおきに!!
ペコッ
ピピーッ
ドドドドッ
今度《こんど》は警察《けいさつ》か!? やっぱりオレ達《たち》のことを…!?

待《ま》て！ジョルジュ!!
これは、これは…ごきげんよう、お巡《まわ》りさん…
へ？
警告《けいこく》したはずだ！また同《おな》じことをすれば…次《つぎ》は許《ゆる》さないと!!
ああ、たしかに！
まったく反省《はんせい》の色《いろ》はなしか…
ジャラ…
ジョルジュ・サンド…貴様《きさま》を逮捕《たいほ》する！
ちょ、ちょっと待《ま》ってや！
なぜその人《ひと》を…ジョルジュさんを逮捕《たいほ》するんだ!?
異性装《いせいそう》に関《かん》する法律違反《ほうりついはん》だ!!
異性装《いせいそう》？まさかその人《ひと》は…
おんな…!?
ふふ…

あはは…ご名答《めいとう》！
でも今日《きょう》は困《こま》るんだ…見逃《みのが》してくれないか？
ダメだ！許《ゆる》さん!!
ちょっと待《ま》てや！
女性《じょせい》が男性《だんせい》の服《ふく》を着《き》ているだけで逮捕《たいほ》されるなんてありえへんやろ！
異性装《いせいそう》は社会《しゃかい》の秩序《ちつじょ》を乱《みだ》す！十分《じゅうぶん》な逮捕理由《たいほりゆう》だ!!
あー!! あそこに強盗《ごうとう》が!!
何《なに》!?
どこに強盗《ごうとう》が…
はっ
!!
シーン…
くそっ！やられたっ!!

はぁ
はぁ
これだけ逃《に》げれば、もうだいじょうぶや！
それにしても、男装《だんそう》したら逮捕《たいほ》なんてひどすぎる…
そうや！何《なん》でそんなことになっとるんや…？
何《なに》も知《し》らないのか!? キミ達《たち》はいったいどこから…
ざわ
ざわ、ざわ
ねえ、見《み》て！妙《みょう》な格好《かっこう》の子《こ》ども達《たち》よ!!
まずい…場所《ばしょ》を変《か》えよう…

私《わたし》の家《いえ》だよ！ ここなら もう安心《あんしん》だ!!
ひょえ〜… 立派《りっぱ》やなあ!!
ポロン ポロン
ピアノが!? とんでもない うまさやな!!
ポロン
フフ… 直接《ちょくせつ》 本人《ほんにん》に言《い》って やってくれ！

ポロン
ポロロ…♪
フレデリック、客人《きゃくじん》をお連《つ》れしたよ!
珍《めずら》しいね、客人《きゃくじん》を招《まね》くなんて…
はじめまして! オレは優一《ゆういち》、こっちは俊夫《としお》!
ども! 客《きゃく》ってほどのもんやないけど…
ふーん… キミの活動《かつどう》と何《なに》か関係《かんけい》があるのかな!?
ふあさっ
違《ちが》うよ!
ただ困《こま》っているところを助《たす》けただけさ!
それにしてもピアノ上手《じょうず》やな〜!
ふふっ… それはどうも!

あらためて紹介《しょうかい》しよう！彼《かれ》は私《わたし》の大切《たいせつ》なパートナーであり偉大《いだい》な作曲家《さっきょくか》…
フレデリック・ショパンだ！
ショ…ショパン〜〜〜!?
あわわ…オレは、天才作曲家《てんさいさっきょくか》にピアノ上手《じょうず》やな、なんて軽口《かるくち》を…
いや、うれしいよ！こんなからだだと、人《ひと》と話《はな》す機会《きかい》は貴重《きちょう》なんだ…
ゴホッ
ゴホッ
どこか具合《ぐあい》でも悪《わる》いのか？
ちょっとした病気《びょうき》でね…だからここで療養《りょうよう》させてもらっているんだ…
身《み》の回《まわ》りのことは、ジョルジュにすっかり世話《せわ》になりっぱなしさ…

※オルドナンス…法律《ほうりつ》の一種《いっしゅ》。

社会秩序《しゃかいちつじょ》を保《たも》つため……というが、それは建前《たてまえ》さ！
ほんとうの目的《もくてき》は、女性《じょせい》の社会《しゃかい》での活躍《かつやく》を阻《はば》むことなんだ……
〝女性《じょせい》らしくない〟という理由《りゆう》だけで、ズボンをはくことも許《ゆる》されない……
舞踏会《ぶとうかい》では常《つね》に、派手《はで》なドレスを着《き》て、夫《おっと》を引《ひ》き立《た》てるためアクセサリーのように立《た》たなければならない……
こんなルールはデタラメだ!! それを訴《うった》えるために、私《わたし》は男性《だんせい》の服《ふく》を着《き》ているんだ!!
男装《だんそう》には、そんな理由《りゆう》があったのか！
ジョルジュ、用意《ようい》はいいのかい？ そろそろ時間《じかん》だよ……
ああ、準備《じゅんび》をしないと……
ジョルジュさま大変《たいへん》です!!
本日《ほんじつ》、同行予定《どうこうよてい》の者《もの》が、病気《びょうき》でこられないと……

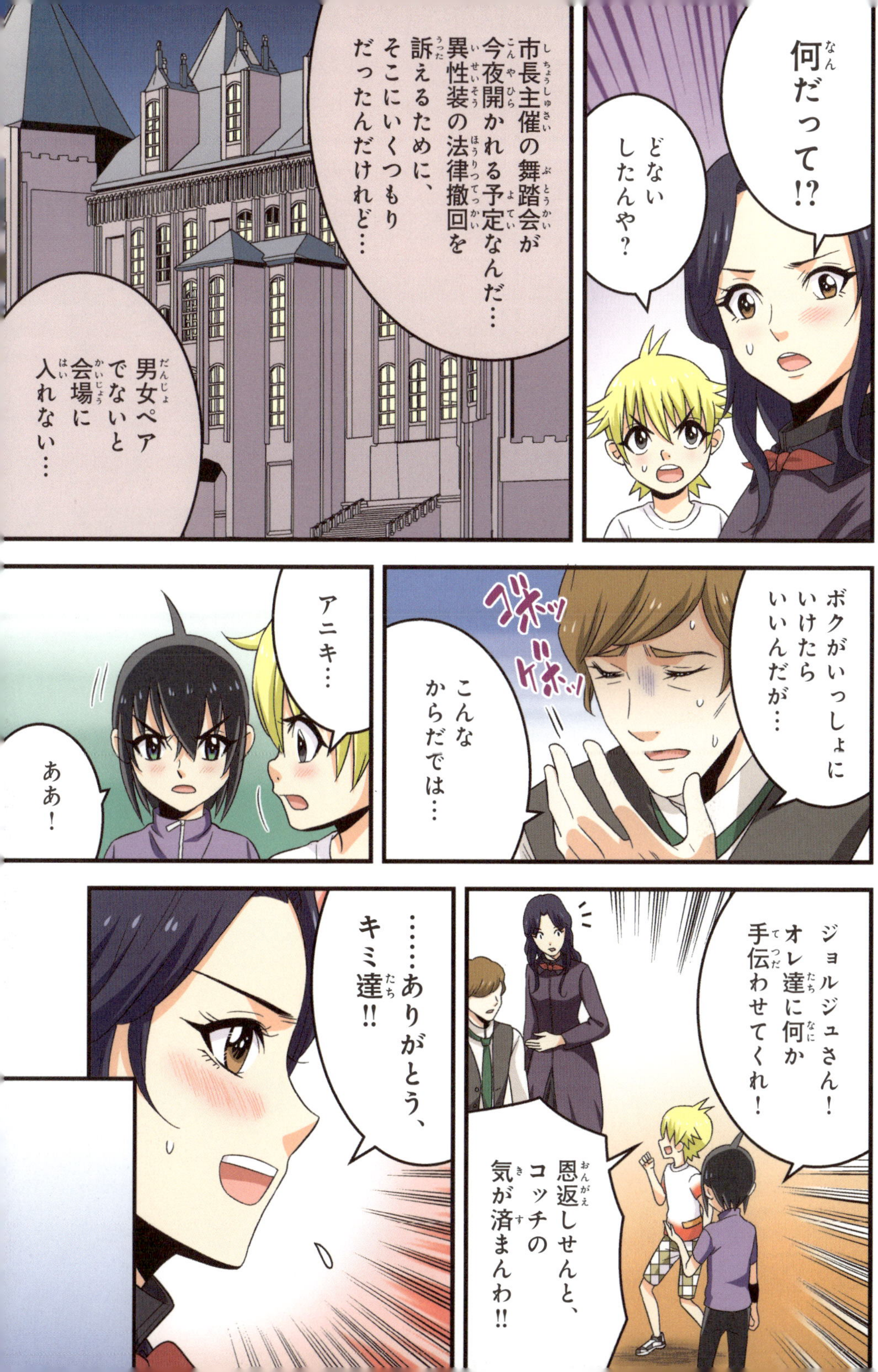
何《なん》だって!?
どないしたんや?
市長主催《しちょうしゅさい》の舞踏会《ぶとうかい》が今夜《こんや》開《ひら》かれる予定《よてい》なんだ…異性装《いせいそう》の法律《ほうりつ》撤回《てっかい》を訴《うった》えるために、そこにいくつもりだったんだけれど…
男女《だんじょ》ペアでないと会場《かいじょう》に入《はい》れない…
ボクがいっしょにいけたらいいんだが…
ゴホッ
ゲホッ
こんなからだでは…
アニキ…
ああ!
ジョルジュさん!オレ達《たち》に何《なに》か手伝《てつだ》わせてくれ!
恩返《おんがえ》しせんと、コッチの気《き》が済《す》まんわ!!
……ありがとう、キミ達《たち》!!

言《い》われるがまま着《き》がえたけど…何《なん》やこれ？
舞踏会《ぶとうかい》に潜《もぐ》りこむための変装《へんそう》さ！
なるほど…それで、アニキは…？
隣《となり》の部屋《へや》さ…そろそろ着《き》がえ終《お》わるはずだよ！
あのさ…
ギィ…
うん!! ぴったりだ！

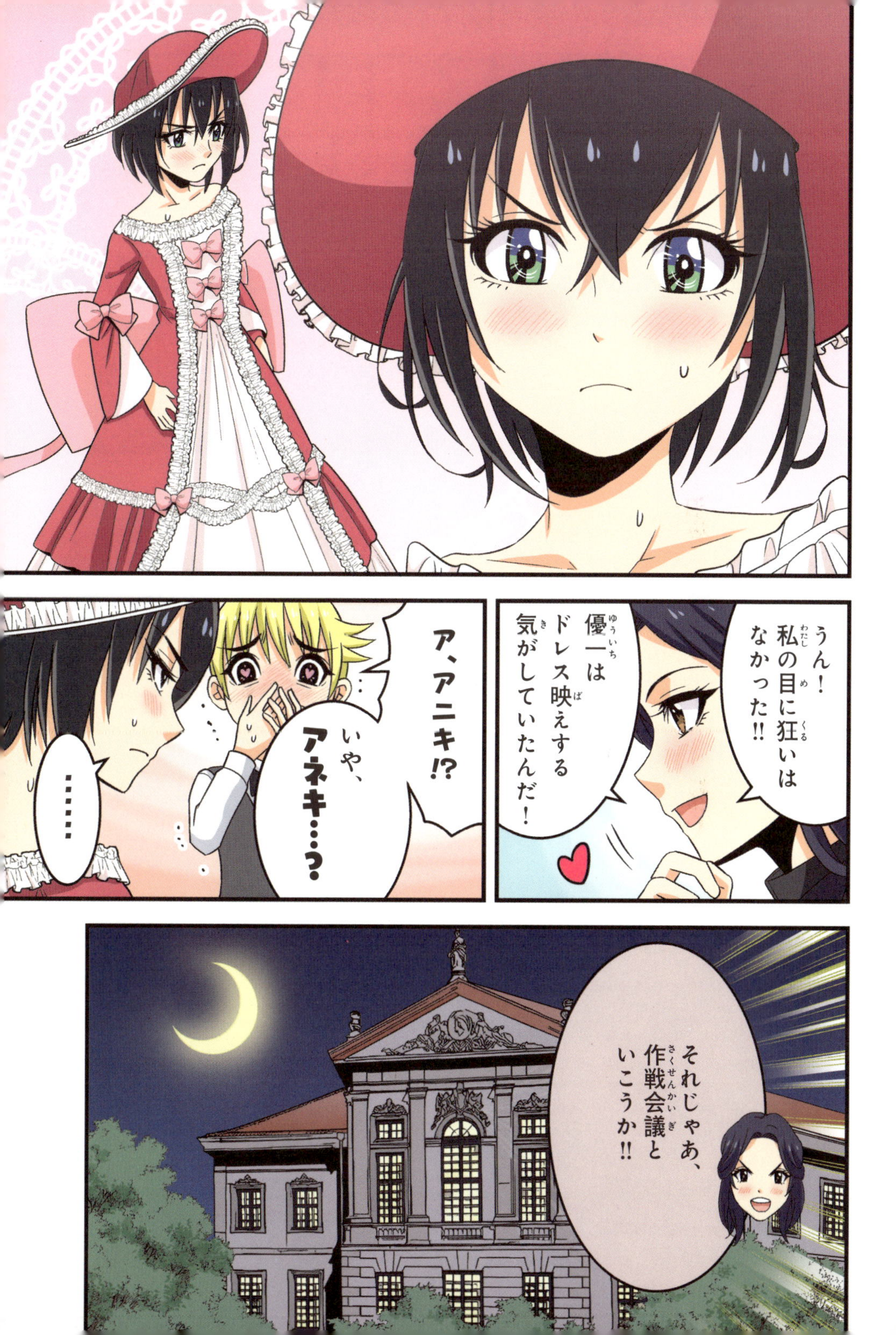
うん！私《わたし》の目《め》に狂《くる》いはなかった!!
優一《ゆういち》はドレス映《ば》えする気《き》がしていたんだ！
ア、アニキ!?
いや、アネキ…？
……
それじゃあ、作戦会議《さくせんかいぎ》といこうか!!

コナンの推理《すいり》NOTE《ノート》

男女《だんじょ》の“洋服《ようふく》”の違《ちが》いは、どうして生《う》まれたの？

衣服《いふく》には着飾《きかざ》るためだけでなく、身分《みぶん》や性別《せいべつ》をあらわす役割《やくわり》があったぞ！

服《ふく》装《そう》には昔《むかし》から、身分《みぶん》や性別《せいべつ》を示《しめ》す役割《やくわり》があった。「学生《がくせい》・生徒《せいと》」という身分《みぶん》を示《しめ》す学校《がっこう》の制服《せいふく》の多《おお》くが、これまで「男性《だんせい》はズボン、女性《じょせい》はスカート」と決《き》められていたのもそのためだ。でも、どうして「男性《だんせい》はズボン、女性《じょせい》はスカート」とされるようになったのだろう？　その理由《りゆう》をズボンとスカートの歴史《れきし》を通《とお》して考《かんが》えてみよう。

最近《さいきん》は、「男子《だんし》らしさ」「女子《じょし》らしさ」という価値観《かちかん》にとらわれず選《えら》べる、男女《だんじょ》の区別《くべつ》がない「ジェンダーレス制服《せいふく》」を取《と》り入《い》れる学校《がっこう》も増《ふ》えておるぞ。

ズボンは「騎馬民族《きばみんぞく》」が発明《はつめい》した!?

ズボンをはいて馬《うま》にまたがる戦士《せんし》をかたどった、紀元前《きげんぜん》4世紀《せいき》ごろのスキタイの黄金板《おうごんばん》。

スキタイ

ズボンは騎馬《きば》(馬《うま》に乗《の》ること)の習慣《しゅうかん》とともに生《う》まれたと考《かんが》えられている。それまでのからだに布《ぬの》を巻《ま》きつけるタイプの衣服《いふく》は、馬《うま》にまたがるのに不都合《ふつごう》だったため、股下《またした》で2つに分《わ》かれたズボンが生《う》まれた。騎馬《きば》の歴史《れきし》は約《やく》3000年前《ねんまえ》に始《はじ》まり、2600年前《ねんまえ》ごろには黒海沿岸《こっかいえんがん》で、遊牧《ゆうぼく》騎馬民族《きばみんぞく》スキタイがすぐれた騎馬文化《きばぶんか》を生《う》み出《だ》した。スキタイやその影響《えいきょう》を受《う》けた遊牧騎馬民族《ゆうぼくきばみんぞく》によって、ズボンはヨーロッパやアジア各地《かくち》に伝《つた》えられ、人《ひと》びとの衣服《いふく》を変《か》えていったのだ。

東《ひがし》と西《にし》に広《ひろ》まったズボン

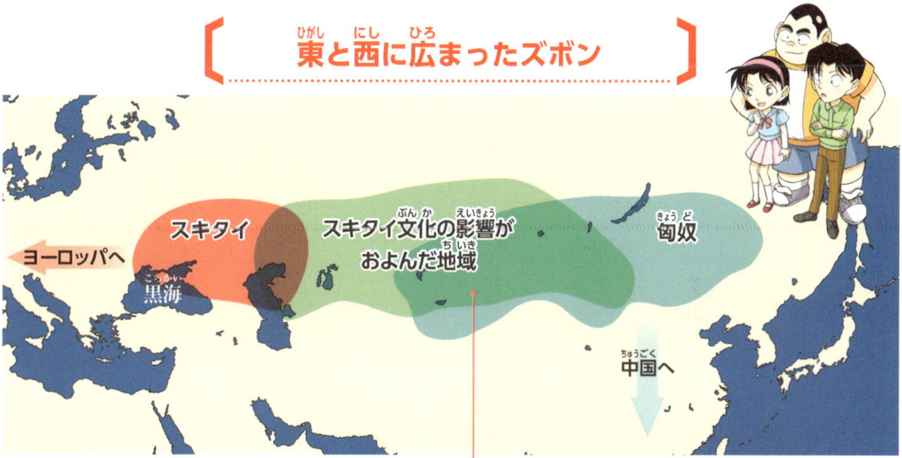

古代中国《こだいちゅうごく》では2世紀《せいき》ごろにズボンを着用《ちゃくよう》するようになった。“胡人《こじん》”と呼《よ》ばれた北方《ほっぽう》の遊牧騎馬民族《ゆうぼくきばみんぞく》「匈奴《きょうど》」らとの戦《たたか》いから、「胡服騎射《こふくきしゃ》」(胡人《こじん》の服《ふく》、騎馬戦術《きばせんじゅつ》)が取《と》り入《い》れられたからだ。

約《やく》3300年前《ねんまえ》のズボン

2014年《ねん》に中国《ちゅうごく》の新疆《しんきょう》ウイグル自治区《じちく》で発見《はっけん》されたズボンは、いままでに発見《はっけん》された中《なか》で最古《さいこ》のものとされている。このズボンは、動物《どうぶつ》の毛皮《けがわ》でつくられていた。

これが西洋《せいよう》の「洋服《ようふく》」の歴史《れきし》だ！

洋服《ようふく》の歴史《れきし》の中《なか》で、「男性《だんせい》はズボン、女性《じょせい》はスカート」という考《かんが》えかたが生《う》まれたのは、15世紀《せいき》ごろからのこと。「男性《だんせい》は外《そと》で仕事《しごと》をしたり戦《たたか》ったりするもの、女性《じょせい》は家《いえ》で家事《かじ》や子育《こそだ》てをするもの」という考《かんが》えかたとともに、男女《だんじょ》の服装《ふくそう》の違《ちが》いとして定着《ていちゃく》していった。

1世紀《せいき》

1世紀《せいき》ごろまでの西洋《せいよう》では、男女《だんじょ》の服装《ふくそう》の違《ちが》いはあまりなかった。古代《こだい》ギリシアや古代《こだい》ローマでは、男性《だんせい》も女性《じょせい》も貫頭衣《かんとうい》（※）を着《き》た上《うえ》に、大《おお》きな布《ぬの》を巻《ま》くのが一般的《いっぱんてき》だった。

15世紀《せいき》

男性《だんせい》の上着《うわぎ》は丈《たけ》が短《みじか》くなり、腰丈《こしたけ》の上着《うわぎ》「プルポワン」の下《した》にタイツを着用《ちゃくよう》するように。女性《じょせい》は丈《たけ》の長《なが》いワンピース「ローブ」を着《き》るようになった。16世紀《せいき》ごろには、このローブが上下《じょうげ》に分《わ》かれて、スカートが生《う》まれた。

12世紀《せいき》

裾《すそ》の長《なが》い上着《うわぎ》「チュニック」。裾《すそ》の長《なが》さに男女《だんじょ》の違《ちが》いが生《う》まれた。

戦争《せんそう》が変《か》えた!? 女性《じょせい》のファッション

女《じょ》性《せい》がズボンをはくようになった大《おお》きなきっかけが、20世紀《せいき》に起《お》きた2つの戦争《せんそう》「第一次世界大戦《だいいちじせかいたいせん》」と「第二次世界大戦《だいにじせかいたいせん》」だった。戦争中《せんそうちゅう》、兵士《へいし》として戦場《せんじょう》に送《おく》られた男性《だんせい》に代《か》わって、女性《じょせい》が工場《こうじょう》などで働《はたら》くようになったが、スカートでは動《うご》きにくかった。そのため、女性《じょせい》もズボンをはくようになったのだ。戦《せん》争《そう》が終《お》わってもその習慣《しゅうかん》はなくならず、世《よ》の中《なか》にだんだんと女性《じょせい》のズボン姿《すがた》が増《ふ》えていった。

働《はたら》く女性《じょせい》を描《えが》いた第二次世《だいにじせ》界大戦中《かいたいせんちゅう》のポスター。

※貫頭衣《かんとうい》……一枚《いちまい》の布《ぬの》の真《ま》ん中《なか》に穴《あな》を開《あ》けて頭《あたま》からかぶる衣服《いふく》。

18世紀《せいき》の華《はな》やかな服装《ふくそう》に対《たい》する反動《はんどう》から、19世紀《せいき》になると男性服《だんせいふく》の色《いろ》の主流《しゅりゅう》は、現在《げんざい》のようなダークカラー（紺色《こんいろ》や黒色《くろいろ》、灰色《はいいろ》などの暗《くら》い色《いろ》）になったんじゃ。

18世紀《せいき》

18世紀《せいき》のフランスでは、「ロココ」と呼《よ》ばれる文化《ぶんか》が花開《はなひら》いた。この時代《じだい》の服装《ふくそう》は色《しき》彩《さい》が豊《ゆた》かで、装飾《そうしょく》が多《おお》いのが特徴《とくちょう》で、王族《おうぞく》や貴族《きぞく》など身分《みぶん》の高《たか》い人《ひと》びとは、男性《だんせい》も女性《じょせい》もフリルをたくさん使《つか》った豪華《ごうか》な飾《かざ》りつけの服《ふく》を着《き》ていた。

男性《だんせい》もフリフリの服《ふく》を着《き》ていたのね！

221B

フリルなどの装飾《そうしょく》にたくさんの布《ぬの》を使《つか》った衣服《いふく》には、着《き》ている人《ひと》の財力《ざいりょく》を示《しめ》す意味《いみ》があった。

19世紀《せいき》

ジャケットにズボン、上下《じょうげ》そろいのスーツなど、現代《げんだい》の男性《だんせい》の洋服《ようふく》の原型《げんけい》が生《う》まれたのは19世紀後半《せいきこうはん》のこと。女性《じょせい》はまだ丈《たけ》の長《なが》いドレスを着《き》ることが多《おお》かった。名探偵《めいたんてい》シャーロック・ホームズは、そんな時代《じだい》のイギリスを舞台《ぶたい》にした推理小説《すいりしょうせつ》の登場人物《とうじょうじんぶつ》だ。

次《つぎ》は、ファッションに起《お》きた「革命《かくめい》」を見《み》にいくぞ！
楽《たの》しみだわ！

☞ 19世紀《せいき》のイギリスについてくわしくは、『世界史探偵《せかいしたんてい》コナン 第《だい》6巻《かん》 切《き》り裂《さ》きジャックの真実《ミステリー》』を読《よ》もう！

コナンの推理《すいり》NOTE《ノート》

"女性《じょせい》の自由《じゆう》"を切《き》り開《ひら》いたファッションリーダー達《たち》

女性《じょせい》の自由《じゆう》は、ファッションの自由《じゆう》とともに、広《ひろ》がっていったぞ！

20世紀《せいき》半《なか》ばになるまで、長《なが》い間《あいだ》、女性《じょせい》は男性《だんせい》に従《したが》うものだという考《かんが》えかたがとても強《つよ》かった。そのため、女性《じょせい》の自由《じゆう》や権利《けんり》は法律《ほうりつ》で制限《せいげん》され、男性《だんせい》が考《かんが》える「女性《じょせい》らしさ」が世《よ》の中《なか》の当《あ》たり前《まえ》になっていた。伝統的《でんとうてき》な「女性《じょせい》らしさ」を見直《みなお》すことで生《う》まれた新《あたら》しいファッションは、そうした世《よ》の中《なか》を変《か》え、女性《じょせい》の自由《じゆう》を広《ひろ》げる大《おお》きな力《ちから》になったのだ。

女性参政権運動《じょせいさんせいけんうんどう》

選挙《せんきょ》などを通《とお》して政治《せいじ》に参加《さんか》する権利《けんり》を「参政権《さんせいけん》」と呼《よ》ぶ。いまでは男女平等《だんじょびょうどう》が当《あ》たり前《まえ》になった参政権《さんせいけん》だが、19世紀《せいき》にはまだ女性《じょせい》の参政権《さんせいけん》は認《みと》められていなかった。そうした世《よ》の中《なか》を変《か》えるため、19世《せい》紀中《きなか》ごろから20世紀《せいき》にかけて高《たか》まったのが「女性参政権運動《じょせいさんせいけんうんどう》」だ。そうした運《うん》動《どう》の結果《けっか》、少《すこ》しずつ女性《じょせい》の権利《けんり》が認《みと》められるようになった。日本《にっぽん》では1945年《ねん》に女性参政権《じょせいさんせいけん》が認《みと》められた。

「女性《じょせい》にも投票《とうひょう》する権利《けんり》を」と書《か》かれたプラカードを掲《かか》げて行進《こうしん》する、19世紀《せいき》のイギリスの女性達《じょせいたち》。

男装《だんそう》の女性作家《じょせいさっか》

ジョルジュ・サンド

フランスの作家《さっか》。本名《ほんみょう》はオーロール・デュパンだが、男性名《だんせいめい》のジョルジュ・サンドで小説《しょうせつ》を発表《はっぴょう》。デビュー作《さく》の『アンディアナ』（1832年《ねん》）などの作品《さくひん》を通《とお》して、女性《じょせい》の自由《じゆう》や自立《じりつ》について表現《ひょうげん》した。また、当時《とうじ》のフランスでは禁止《きんし》されていた「男装《だんそう》」で活動《かつどう》するなど、伝統的《でんとうてき》な「女性《じょせい》らしさ」に疑問《ぎもん》を投《な》げかけて、世《よ》の中《なか》に強《つよ》い衝撃《しょうげき》を与《あた》えた。

男装《だんそう》で葉巻《はまき》を吸《す》うジョルジュ・サンドを描《えが》いた当時《とうじ》のイラスト。彼女《かのじょ》は男装《だんそう》で活動《かつどう》することで、男女《だんじょ》が平等《びょうどう》ではないことを人《ひと》びとに気《き》づかせようとした。

明治時代《めいじじだい》の日本《にっぽん》でも、歌舞伎役者《かぶきやくしゃ》の衣装《いしょう》や、女性《じょせい》の袴《はかま》などの一部例外《いちぶれいがい》を除《のぞ》いて、「異性装《いせいそう》」（男装《だんそう》・女装《じょそう》）が禁《きん》じられていたんじゃ。

コルセットからの解放《かいほう》！

コルセットを用《もち》いない「リトルブラックドレス」（右《みぎ》）と、
働《はたら》く女性《じょせい》向《む》けにデザインされた「シャネルスーツ」（左《ひだり》）。

ガブリエル・シャネル

「ココ・シャネル」の愛称《あいしょう》でも知《し》られるフランスのファッションデザイナー。柔《やわ》らかなジャージー素材《そざい》（※）を取《と》り入《い》れて、コルセットを用《もち》いない女性《じょせい》のための活動的《かつどうてき》な衣《い》服《ふく》をデザインし、20 世紀《せいき》のファッションに大《おお》きな影響《えいきょう》を与《あた》えた。

コルセット

シャネルのデザインした服《ふく》は「女性《じょせい》をコルセットから解放《かいほう》した」といわれる。女《じょ》性《せい》はウエストが細《ほそ》いほど美《うつく》しいとされた16 ～ 19 世紀《せいき》のヨーロッパでは、ウエストを絞《しぼ》るための下着《したぎ》「コルセット」が女《じょ》性服《せいふく》に欠《か》かせなかった。しかし、からだを極端《きょくたん》に締《し》めつけるコルセットは、女性《じょせい》の活動《かつどう》を妨《さまた》げ、健康《けんこう》を害《がい》する原因《げんいん》になっていた。コルセットを用《もち》いない服《ふく》は、そうした不自由《ふじゆう》さから女性《じょせい》を解《と》き放《はな》つものだった。

※ジャージー素材《そざい》……綿糸《めんし》や毛糸《けいと》を編《あ》んだ伸縮性《しんしゅくせい》のよいニット素材《そざい》の一種《いっしゅ》。

シャネルに先駆《さきが》けてコルセットがいらないドレスを最初《さいしょ》に発表《はっぴょう》したのは、ポール・ポワレというフランスの男性《だんせい》ファッションデザイナーじゃったぞ。

ミニスカートの生《う》みの親《おや》

マリー・クワント

1960年代《ねんだい》に世界《せかい》で大流行《だいりゅうこう》した膝丈《ひざたけ》より短《みじか》いスカート「ミニスカート」は、女性《じょせい》が脚《あし》を見《み》せるのは「はしたないこと」とする世《よ》の中《なか》を大《おお》きく変《か》えた。その流行《りゅうこう》をつくったのが、イギリスのファッションデザイナー、マリー・クワントだ。

カワイイ！

いまでは当《あ》たり前《まえ》の服装《ふくそう》にも、歴史《れきし》があるのね！

ツイッギー来日《らいにち》

「ミニスカートの女王《じょおう》」と呼《よ》ばれたイギリスのファッションモデル、ツイッギー。彼女《かのじょ》が、1967年《ねん》に来日《らいにち》したことをきっかけに、日本《にっぽん》でも「ミニスカート・ブーム」が巻《ま》き起《お》こったぞ。

FILE. 5
パーティー潜入《せんにゅう》！
そちらはお連《つ》れさまで？
あなた…
ああ、私《わたし》のパートナーだ…
………
ドキドキ

すごくおキレイですね！
きゅん♡
えっ!?
ふっ、ありがとう…もういっていいかな？
ええ、もちろんです！
一瞬《いっしゅん》、バレたかと思《おも》った…
ほっ
キミはものすごくキレイだ！
だいじょうぶ！

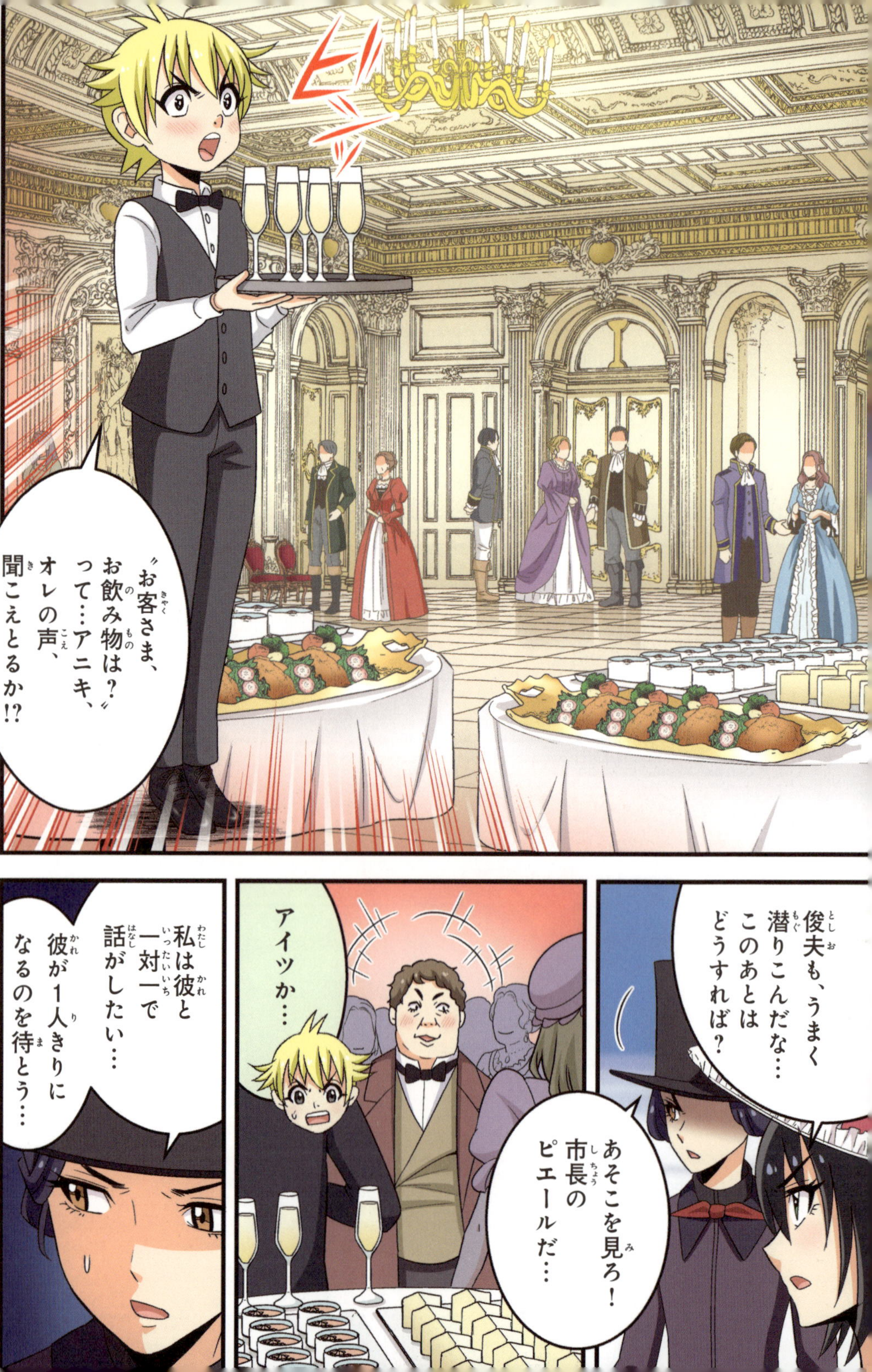
〝お客《きゃく》さま、お飲《の》み物《もの》は？〟って…アニキ、オレの声《こえ》、聞《き》こえとるか!?
俊夫《としお》も、うまく潜《もぐ》りこんだな…このあとはどうすれば？
あそこを見《み》ろ！市長《しちょう》のピエールだ…
アイツか…
私《わたし》は彼《かれ》と一対一《いったいいち》で話《はなし》がしたい…彼《かれ》が1人《り》きりになるのを待《ま》とう…

はっはっはっ
しかし…なかなか1人《り》にならへんな…
ちょっとよろしいですか？
……何《なん》でしょうか？
いえ…ただ…
ずっと会場《かいじょう》の隅《すみ》にいらっしゃるようなので…
人混《ひとご》みが苦手《にがて》でね…
ほう…しかしそれでは…
美《うつく》しく着飾《きかざ》った隣《となり》のご婦人《ふじん》がかわいそうだ…
私《わたし》と一曲《いっきょく》、踊《おど》っていただけませんか？
いやオレ…私《わたし》は…
断《ことわ》っては怪《あや》しまれる…
よ…よろこんで…

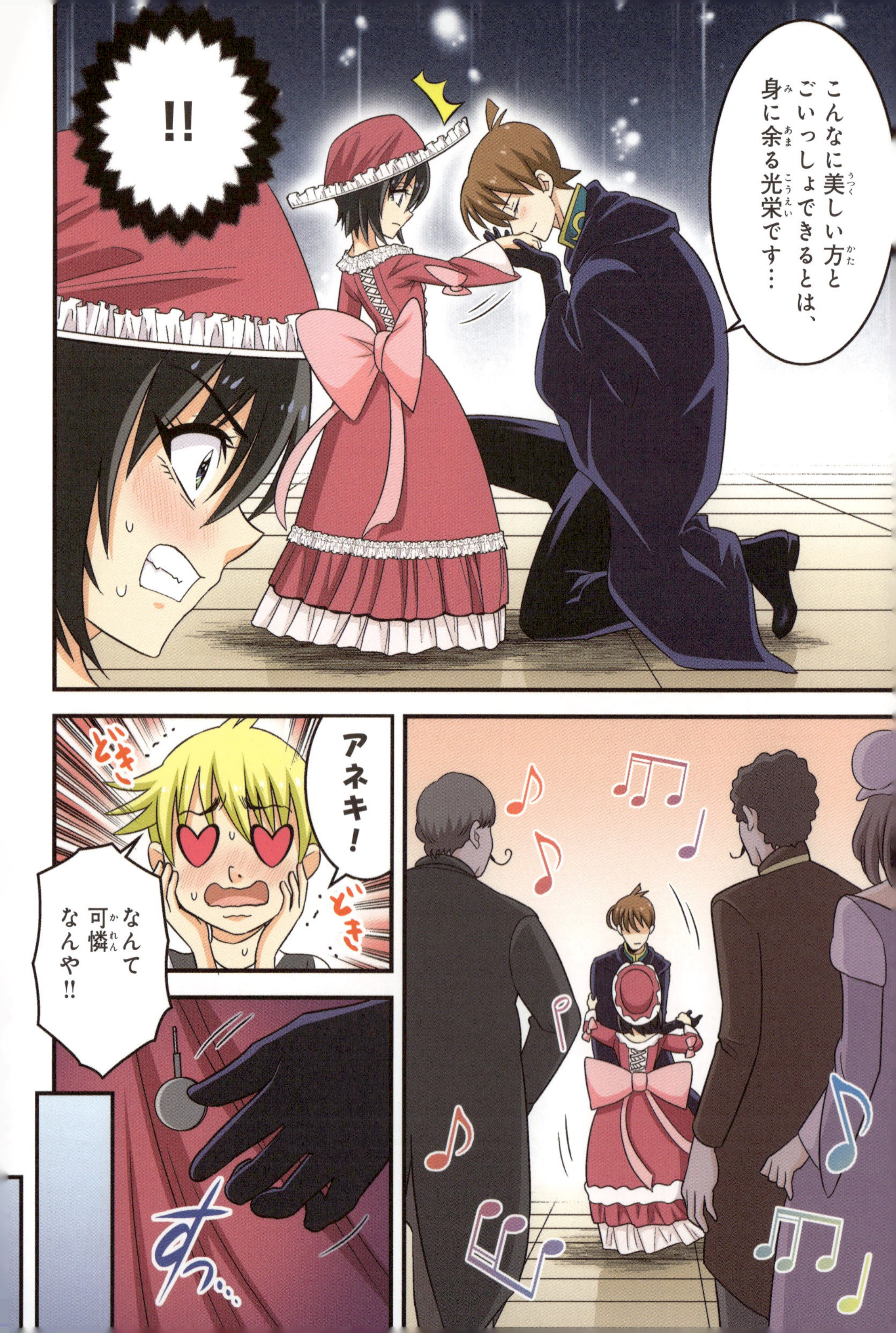
こんなに美《うつく》しい方《かた》と
ごいっしょできるとは、
身《み》に余《あま》る光栄《こうえい》です…
!!
アネキ!
どき
どき
なんて
可憐《かれん》
なんや!!
すっ…

ジャンッ
キュキュキュ
ビシッ
わあ!!
パチパチパチ
まっ、まずい! 注目《ちゅうもく》を集《あつ》めすぎた…!!
ばっ
私《わたし》はもう、これで…
…… またあなた達《たち》と踊《おど》るのを楽《たの》しみにしていますよ…
達《たち》…?
それより、アネキ!!

市長《しちょう》がトイレにいくみたいやで！
よし、追《お》いかけるぞ！
優一《ゆういち》！男性用《だんせいよう》トイレにその格好《かっこう》ではムリだ!!
あっ？そうか!!
キミ達《たち》はトイレの外《そと》で見張《みは》りを…
私《わたし》が市長《しちょう》と話《はなし》をつける！
分《わ》かった！
見張《みは》りはまかせてや！
それじゃ、いってくる！

ジャッ
ザッ
これは、これは…パーティーは楽《たの》しんでおられるかな?
おかげさまで…これからもっと楽《たの》しもうと思《おも》います…
先《さき》ほど一部始終《いちぶしじゅう》を見《み》ておったが、キミの妻《つま》は非常《ひじょう》に美《うつく》しいな!
ピッ
ピッ
キミを引《ひ》き立《た》てる最高《さいこう》のアクセサリーだ!!
ピエール市長《しちょう》…
その件《けん》で、折《お》り入《い》ってお話《はなし》があるのですが…

遅《おそ》いな～、まだ話《はなし》が終《お》わらんのやろうか…？
ピローンッ
優一《ゆういち》さん、俊夫《としお》さん！
ジョルジュさん達《たち》を見《み》てきたほうがいいかもしれない！
気《き》になることがあるんだ…
気《き》になること!?
彼女《かのじょ》は異性装《いせいそう》の法律《ほうりつ》の撤回《てっかい》を訴《うった》えにきたはず…
どうして、市長《しちょう》が1人《り》きりになるのを待《ま》つ必要《ひつよう》があったのかな？
言《い》われてみればたしかに…
訴《うった》えるだけなら、人《ひと》が多《おお》い場所《ばしょ》のほうが効果的《こうかてき》だ…
ジョルジュさんには、何《なに》かほかの目的《もくてき》があったんじゃないかな!?

ああっ! ジョルジュさん!!
貴様《きさま》、何者《なにもの》だ!? 何《なに》が望《のぞ》みだ!?
異性装《いせいそう》の法律《ほうりつ》を廃止《はいし》しろ! さもなくば…
コナンが言《い》ったとおりだ… はじめからそのつもりで…
あわ あわ

ドタドタッ
何《なん》の騒《さわ》ぎだ！おとなしくしろ!!
寄《よ》るな！それ以上《いじょう》近《ちか》づけば…
私《わたし》は本気《ほんき》だぞ…
ざわ
ざわ
ざわ

だれか〜!!
ワシを助《たす》けてくれ!
ジョルジュさん!
あかんて!
コイツは心底《しんそこ》腐《くさ》っている!
私《わたし》の話《はなし》に耳《みみ》を傾《かたむ》けようともしないんだ! こうするしか…
なぜ異性装《いせいそう》の法律廃止《ほうりつはいし》にこだわる!?
アンタも男《おとこ》だろう!? 女《おんな》に権利《けんり》など与《あた》えてどうするという…
残念《ざんねん》だが私《わたし》は——……
女《おんな》だ!
はっ
なっ!?

女性達《じょせいたち》よ、聞《き》いてくれ!!
あなた達《たち》は夫《おっと》のお飾《かざ》りのままでいいのか!?真《しん》の自由《じゆう》を奪《うば》われたままでいいのか!?
異性装《いせいそう》の法律《ほうりつ》は…女性《じょせい》の真《しん》の権利《けんり》を…人生《じんせい》を奪《うば》うものだ!
……
ふんっ、お前以外《まえいがい》の女達《おんなたち》はお利口《りこう》なようだな…
だっ…だれも…声《こえ》を上《あ》げないのか…?
名演説《めいえんぜつ》だったが…残念《ざんねん》だったな…

くっ、くそ!!
覚悟《かくご》しろ!!
ひぃーっ
ジョルジュさん、ヤメろ!!
いたっ!
からんっ
からんっ
ふぅーっ
危《あぶ》ないところでしたね〜…

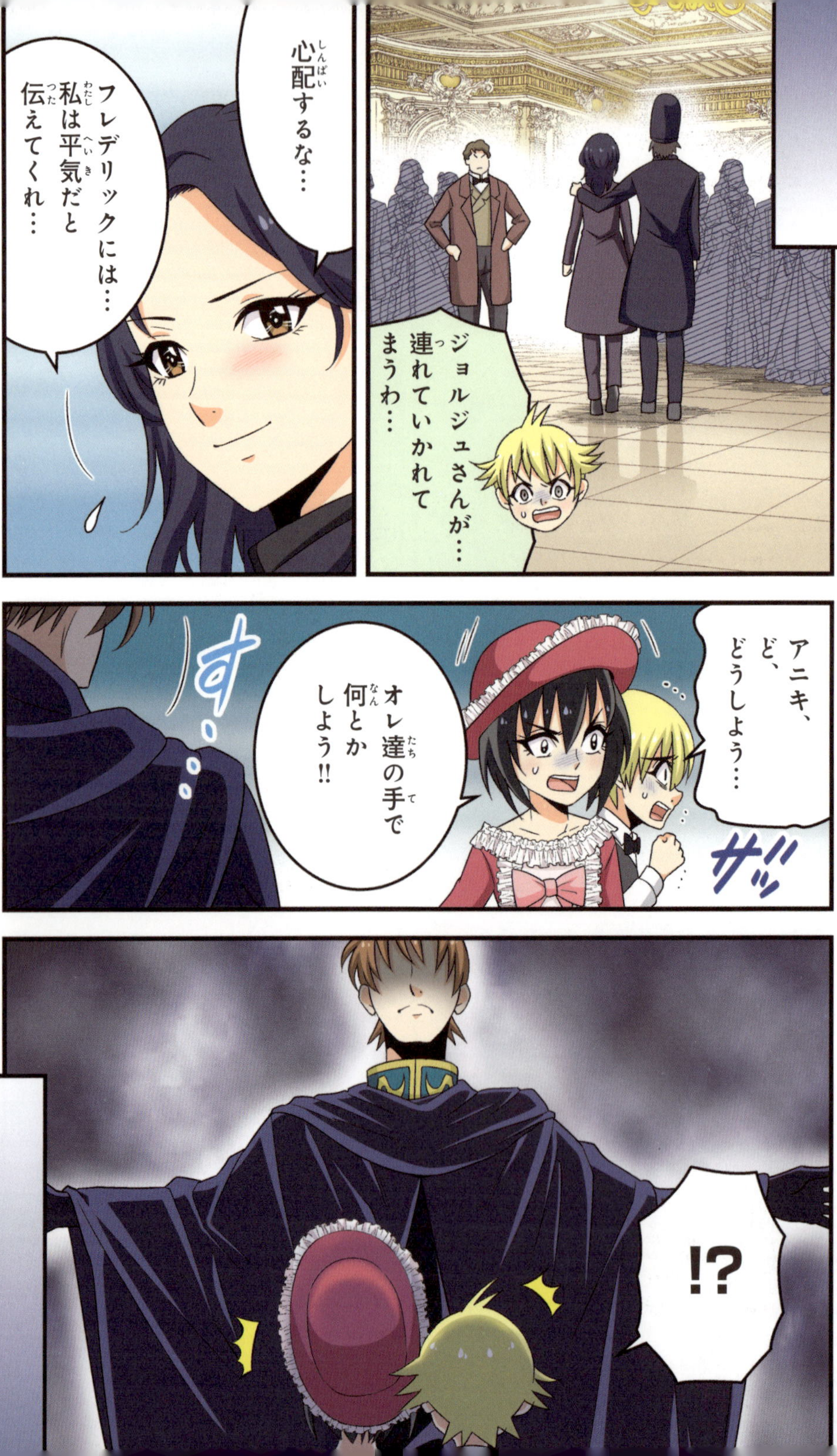
ジョルジュさんが…連《つ》れていかれてまうわ…
心配《しんぱい》するな…
フレデリックには…私《わたし》は平気《へいき》だと伝《つた》えてくれ…
アニキ、ど、どうしよう…
オレ達《たち》の手《て》で何《なん》とかしよう!!
サッ!!
す
!?

オイ！さっきはよくもジャマしてくれたな!!
アンタのせいで、ジョルジュさんは警察《けいさつ》に捕《つか》まったんやぞ!!
…ジャマだって？むしろ感謝《かんしゃ》してほしいね…
あのままだったら、キミ達《たち》まで共犯者《きょうはんしゃ》として捕《つか》まってたぜ？
それは…
ぐぬ…
この盗聴器《とうちょうき》も、アンタだろ!?
このドレスについてたぞ…
会場《かいじょう》でオレに近《ちか》づけたのはアンタだけだ…
お見事《みごと》！そのとおりさ!!
アンタ、いったい何者《なにもの》だ!?
知《し》りたいなら教《おし》えてやろう…
ばっ

いやいや！全然正体《ぜんぜんしょうたい》を明《あ》かしてないやんか！
はあ!?
2人《り》とも気《き》をつけて！
そいつは、謎解《なぞと》きをジャマする正体不明《しょうたいふめい》の人物《じんぶつ》に違《ちが》いない！
やっぱり悪者《わるもの》か！
失礼《しつれい》だな…
まあ、あながちまちがいではないがな…
ふん、そんな小石《こいし》ごとき…
ひょいっ
!?

ゴン…
さすがアニキや！
ふくぅ
きゃあー!!
ずるっ
よくもやってくれたな…！

ばっ
お、お前《まえ》はオオカミ男《おとこ》!
チッ…
この姿《すがた》までバラすのは予定外《よていがい》だったが、…あばよ!
ザッ
ぐぬぅ〜
……

まさか
アイツの正体《しょうたい》が
ウルフだった
なんて…
しぶとい
ヤローだよな！
なあ、
灰原《はいばら》…
ウルフが
いたってことは
このハッキング、
もしかして…
どうかしら？
例《れい》の彼《かれ》って
可能性《かのうせい》も
考《かんが》えられるけど…
今回《こんかい》は
いままでと
少《すこ》し違《ちが》うような
気《き》がするわ…

うむ…ウルフの服装《ふくそう》も黒《くろ》かったしな…
それにヤツが被《かぶ》っていた仮面《かめん》…あれは…
ジョルジュさん、どうなるのかしら…？
逮捕《たいほ》されちゃいましたし、心配《しんぱい》ですね…
牢屋《ろうや》で、お腹《なか》空《す》かせてねぇか心配《しんぱい》だぜ…
きっとだいじょうぶ！
優一《ゆういち》さん達《たち》が動《うご》き出《だ》したみたいだし！

これより、ジョルジュ・サンドによる市長殺人未遂事件《しちょうさつじんみすいじけん》の裁判《さいばん》を開廷《かいてい》する！
コイツは社会《しゃかい》を乱《みだ》すとんでもない悪党《あくとう》だ！
処刑《しょけい》してしまえ!!
……………
静粛《せいしゅく》に！では、まず…
裁判長《さいばんちょう》！大変《たいへん》です!!

大勢《おおぜい》の女性達《じょせいたち》が、異性装《いせいそう》をして裁判所《ここ》を取《と》り囲《かこ》んでいます！
わあ
わあ
ジョルジュさんを解放《かいほう》しろ！
異性装《いせいそう》の法律《ほうりつ》は廃止《はいし》すべきだ！
ピエール市長《しちょう》は退任《たいにん》しろ!!

なっ!? お前達《まえたち》…
何《なに》をしているか、分《わ》かっているのか!?
私達《わたしたち》にも男性《だんせい》と同《おな》じように生《い》きる権利《けんり》があるはずよ!!
ジョルジュさん、ごめんなさい！ 私達《わたしたち》…あのときは捕《つか》まるのが怖《こわ》くて…
あやまる必要《ひつよう》はない… だれだって怖《こわ》いのは同《おな》じさ…
でも、なぜ今日《きょう》ここに…
あの子達《こたち》が教《おし》えてくれたの… あなたの思《おも》いを…
あの子達《こたち》!?
助《たす》けにきたで、ジョルジュさん!!

お前《まえ》は、あのときの…お前達《まえたち》、男《おとこ》なんだろう!?ドレスだなんて頭《あたま》でもおかしくなったのか?
わな
わな
別《べつ》に、オレ達《たち》は好《す》きな服《ふく》を着《き》ただけだ…
ドレスって一度《いちど》着《き》てみたかってんな～!
優一《ゆういち》…俊夫《としお》…!
ど、どいつをですか!?
よくも社会《しゃかい》を乱《みだ》しおって!!
わな
おい!早《はや》くヤツらを捕《つか》まえろ!
わな
そこにいる全員《ぜんいん》だ!!!

この人数《にんずう》を捕《つか》まえるなんてムリです…
それに…ますます人《ひと》が集《あつ》まってきていますよ!?
何《なん》だと!?
コレがこの街《まち》の人《ひと》びとの思《おも》いや!
市長《しちょう》がそれを無視《むし》してええんか!?
市長《しちょう》! 次《つぎ》の選挙《せんきょ》に響《ひび》きます!!
そうなれば、法律《ほうりつ》の維持《いじ》どころの話《はなし》ではなくなります!!
ぐぬぬ…くそっ!

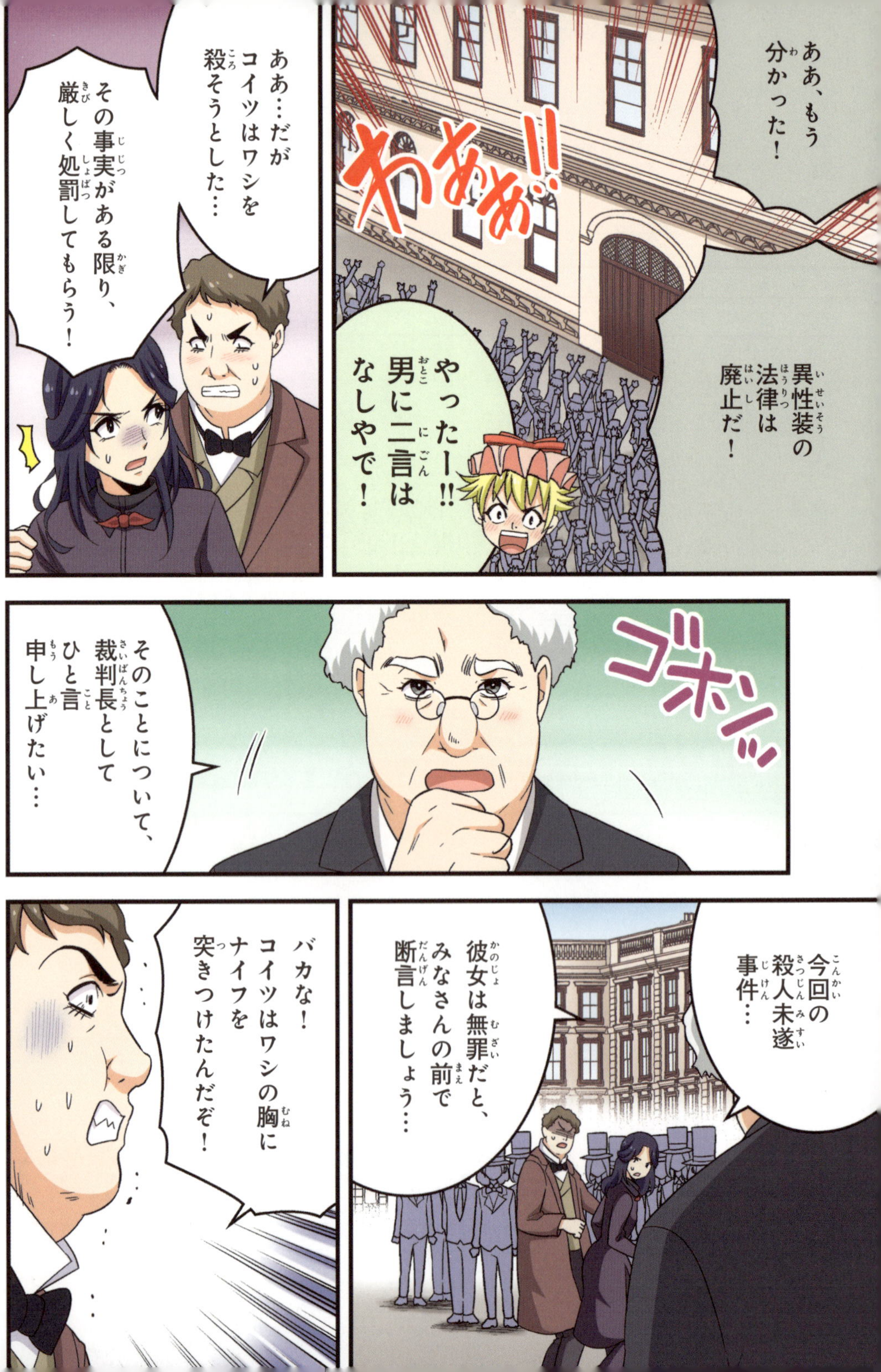
ああ、もう分《わ》かった！
わあぁ!!
異性装《いせいそう》の法律《ほうりつ》は廃止《はいし》だ！
やったー!! 男《おとこ》に二言《にごん》はなしやで！
ああ…だがコイツはワシを殺《ころ》そうとした…
その事実《じじつ》がある限《かぎ》り、厳《きび》しく処罰《しょばつ》してもらう！
ゴホンッ
そのことについて、裁判長《さいばんちょう》としてひと言《こと》申《もう》し上《あ》げたい…
今回《こんかい》の殺人未遂《さつじんみすい》事件《じけん》…
彼女《かのじょ》は無罪《むざい》だと、みなさんの前《まえ》で断言《だんげん》しましょう…
バカな！コイツはワシの胸《むね》にナイフを突《つ》きつけたんだぞ！

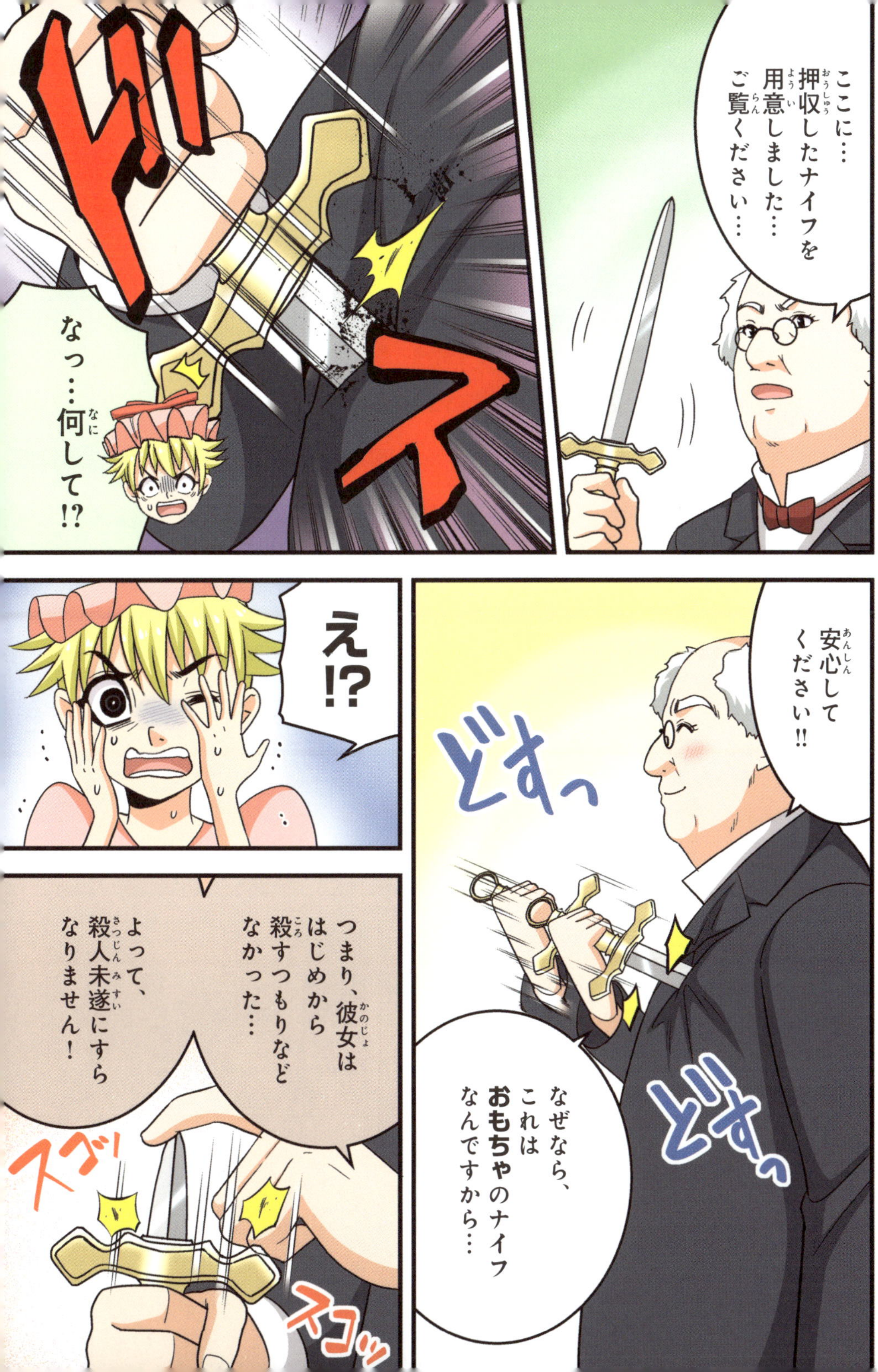
ここに…
押収《おうしゅう》したナイフを
用意《ようい》しました…
ご覧《らん》ください…
ド!!
ス
なっ…何《なに》して!?
安心《あんしん》して
ください!!
どすっ
どすっ
なぜなら、
これは
おもちゃのナイフ
なんですから…
え!?
つまり、彼女《かのじょ》は
はじめから
殺《ころ》すつもりなど
なかった…
よって、
殺人《さつじん》未遂《みすい》にすら
なりません!
スコッ
スコッ

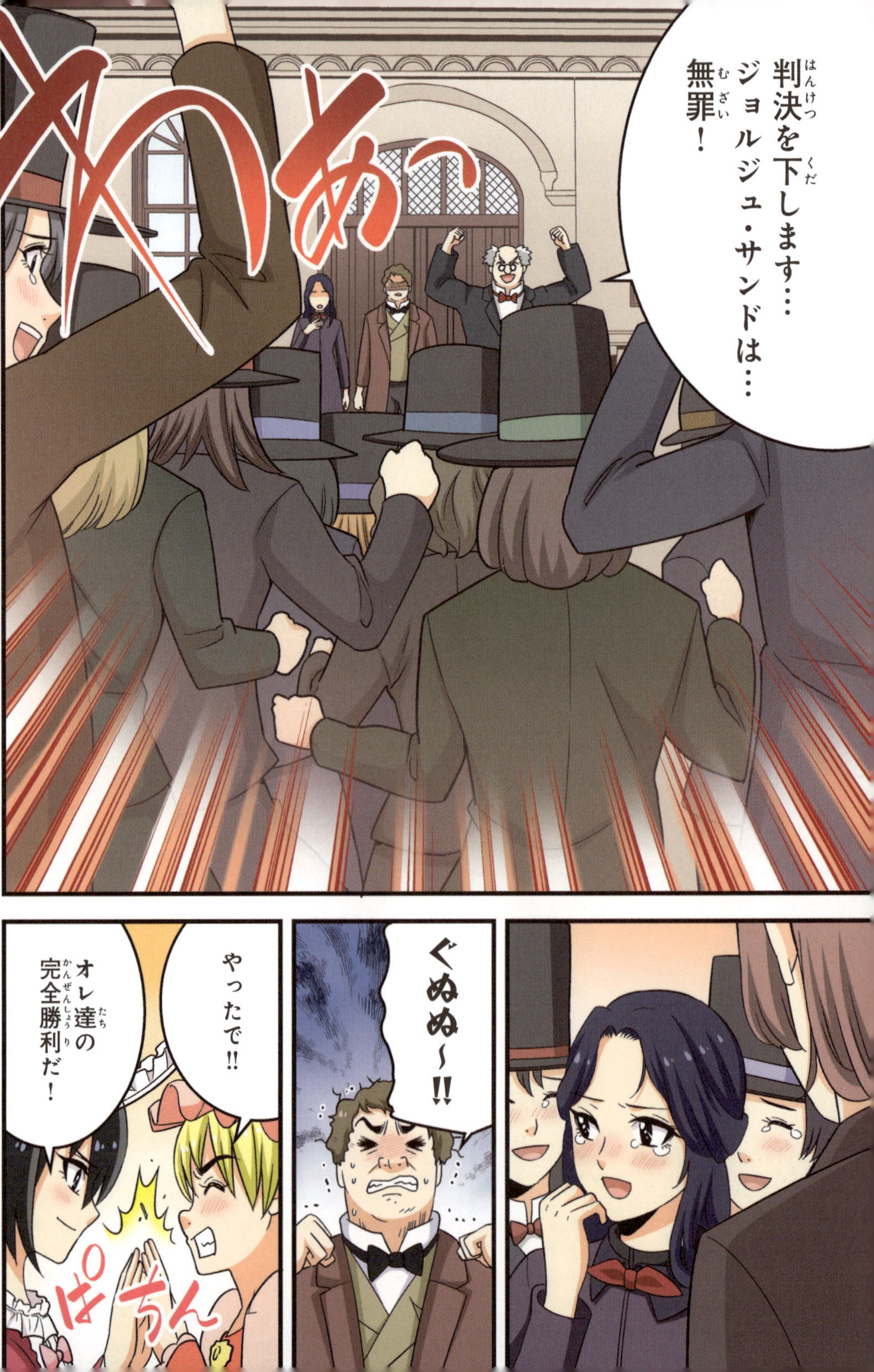
判決《はんけつ》を下《くだ》します…ジョルジュ・サンドは…無罪《むざい》！
わあ～
ぐぬぬ～!!
やったで!!
オレ達《たち》の完全勝利《かんぜんしょうり》だ！
ぱちん

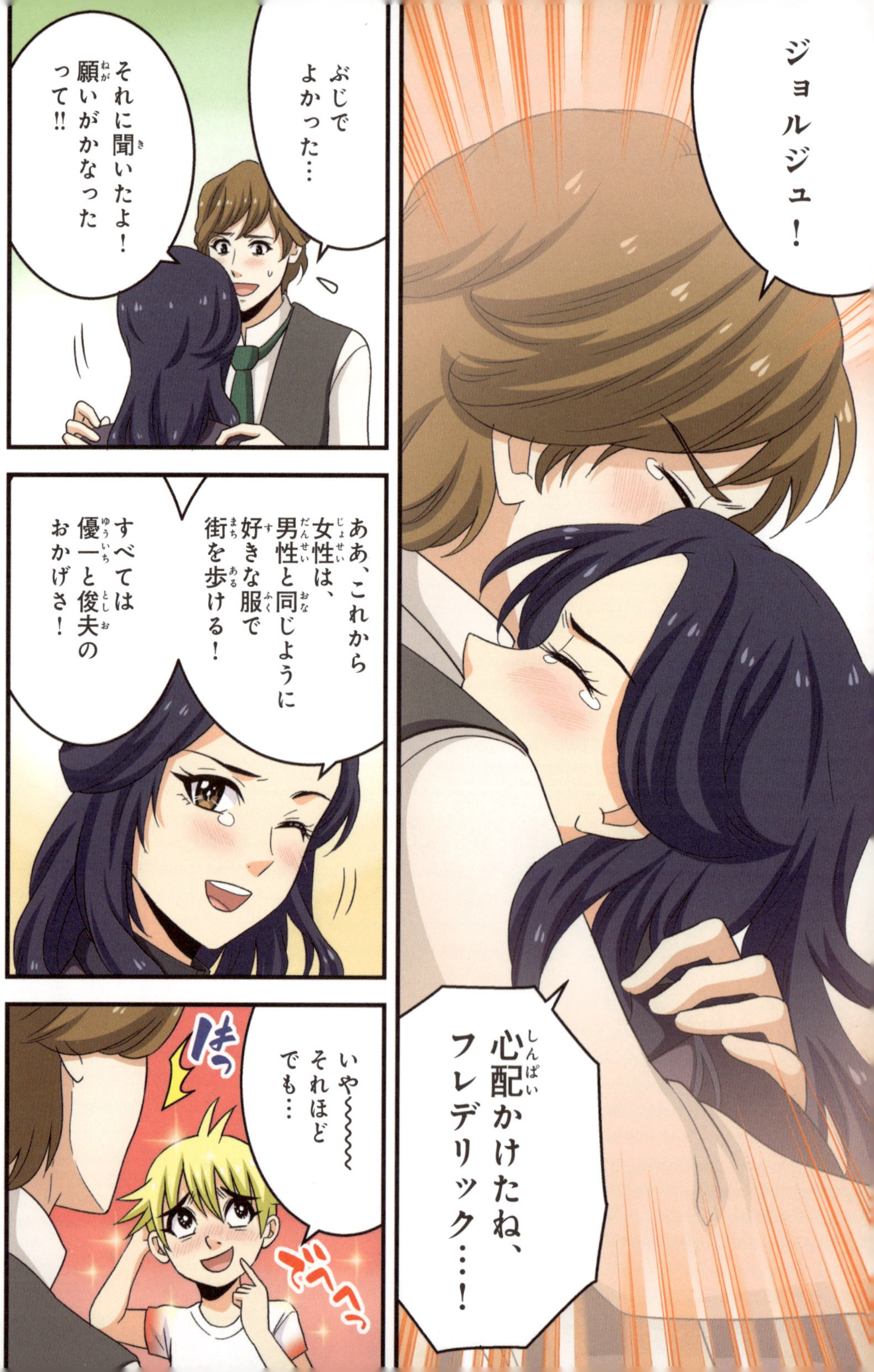
ジョルジュ！
心配《しんぱい》かけたね、フレデリック…！
ぶじでよかった…
それに聞《き》いたよ！願《ねが》いがかなったって!!
ああ、これから女性《じょせい》は、男性《だんせい》と同《おな》じように好《す》きな服《ふく》で街《まち》を歩《ある》ける！
すべては優一《ゆういち》と俊夫《としお》のおかげさ！
はっ
いや〜〜〜それほどでも…
でへへっ

ジョルジュ…
いまのキミに
ふさわしい曲《きょく》を
思《おも》いついたよ！
テーマは…
〝英雄《えいゆう》〟だ!!

なんか壮大《そうだい》でええ感《かん》じの曲《きょく》やなあ!!
すてきね、フレデリック…
ジョルジュさん、変《へん》なことを聞《き》いてもいいかな…
ヒソ…
あのときどうして…わざと捕《つか》まったんだ？

へっ？わざと!?
そうさ！ナイフがおもちゃだと…
舞踏会《ぶとうかい》の会場《かいじょう》で明《あ》かしてしまえば捕《つか》まることはなかったはずだ!!
あの場《ば》にいた女性達《じょせいたち》に、私《わたし》の覚悟《かくご》を見《み》てほしかったんだ！
事実《じじつ》、それで彼女達《かのじょたち》は動《うご》いてくれた！
じゃあ、それを見越《みこ》してあなたは…
ふふっ！
あれっ!? キミ達《たち》、からだが…
パァァァ

これって…
2人《り》ともお別《わか》れみたいだ…
待《ま》ってくれ！これは…
キミ達《たち》が着《き》ていたドレスに入《はい》っていた…
大切《たいせつ》なものじゃないのか？

〇〇〇〇〇〇で世界《せかい》を席巻《せっけん》しろ！
さすれば世界《せかい》は変《か》わる！
X《エックス》
これは…新《あたら》しいヒント!?

パッチリお目《め》目《め》のメイクは古代《こだい》エジプト生《う》まれ！？

化粧《けしょう》の歴史《れきし》は、いまから9万年前《まんねんまえ》までさかのぼるといわれているぞ！

最《さい》近《きん》は化粧《けしょう》（メイクアップ。単《たん》にメイクとも）をする男性《だんせい》も増《ふ》えているが、「化粧《けしょう》は女性《じょせい》がするもの」という考《かんが》えかたのほうが、まだまだ一般《いっぱん》的《てき》だ。しかし、歴史《れきし》の中《なか》で男性《だんせい》が〝化《け》粧《しょう》をしなくなった〟のは、ここ150年《ねん》ほどのこと。化粧《けしょう》が始《はじ》まったとされる約《やく》9万年前《まんねんまえ》から、魔除《まよ》けや身《み》だしなみとして、男女《だんじょ》を問《と》わず化粧《けしょう》するのが当《あ》たり前《まえ》の時代《じだい》が続《つづ》いていたのだ。

化粧《けしょう》の目的《もくてき》は、きれいに見《み》せることだけじゃなかったんだ！

古代《こだい》エジプトのメイク

ネフェルティティ

ネフェルティティは、紀元前《きげんぜん》14世紀《せいき》の古代《こだい》エジプトの王《おう》アメンホテプ4世《せい》の妃《きさき》。その名《な》は「美女《びじょ》はやってきた」という意味《いみ》で、とても美《うつく》しい女性《じょせい》だったといわれている。

ネフェルティティの胸像《きょうぞう》（上《うえ》）で印象《いんしょう》的《てき》なのが、濃《こ》いアイライン（目《め》の縁取《ふちど》り）だ。現代《げんだい》の化粧《けしょう》ではアイラインは目《め》を大《おお》きく見《み》せるためにほどこされるが、古代《こだい》エジプトでは魔除《まよ》けの意味《いみ》と、太陽《たいよう》の強《つよ》い日差《ひざ》しや病気《びょうき》から目《め》を守《まも》る目的《もくてき》があった。右《みぎ》は、古代《こだい》エジプトのレリーフ（浮《う》き彫《ぼ》り）に残《のこ》された、化粧《けしょう》する女性達《じょせいたち》の様子《ようす》だ。

古代《こだい》の化粧道具箱《けしょうどうぐばこ》

古代《こだい》エジプトの遺跡《いせき》から発見《はっけん》された、紀元前《きげんぜん》19世紀《せいき》ごろの化粧道具箱《けしょうどうぐばこ》。現代《げんだい》のメイクボックスと同《おな》じように、鏡《かがみ》や化粧品《けしょうひん》が収《おさ》められている。

いままでに見《み》つかったもっとも古《ふる》い化粧品《けしょうひん》は、約《やく》9万《まん》2000年前《ねんまえ》のイスラエルの遺跡《いせき》で見《み》つかった「黄土《おうど》」という土《つち》からつくられたものじゃ。

始《はじ》まりは魔除《まよ》け？　日本《にっぽん》の化粧《けしょう》の歴史《れきし》

平安時代《へいあんじだい》の貴族《きぞく》（身分《みぶん》の高《たか》い人《ひと》）は、男性《だんせい》も女性《じょせい》も白粉《おしろい》で顔《かお》を塗《ぬ》り、口紅《くちべに》や頬紅《ほおべに》で化粧《けしょう》をしていた。特徴的《とくちょうてき》なのが「眉化粧《まゆげしょう》」。眉毛《まゆげ》をすべて抜《ぬ》いて、もともとの眉《まゆ》の位置《いち》より少《すこ》し高《たか》い位置《いち》に墨《すみ》で眉《まゆ》を描《えが》くものだ。また、成人《せいじん》のしるしとして、歯《は》を黒《くろ》く染《そ》める「お歯黒《はぐろ》」も行《おこな》われていた。こうした化粧方法《けしょうほうほう》はやがて武士《ぶし》や庶民《しょみん》にも広《ひろ》まり、江戸時代《えどじだい》までの日本《にっぽん》の化粧《けしょう》の基本《きほん》となっていった。

源氏物語絵巻《げんじものがたりえまき》

化粧《けしょう》した埴輪《はにわ》

巫女《みこ》(※) の姿《すがた》をかたどった古墳時代《こふんじだい》（6世紀《せいき》ごろ）の埴輪《はにわ》。鉱物《こうぶつ》や植物《しょくぶつ》の粉《こな》を水《みず》で溶《と》いてつくった赤色《あかいろ》の化粧《けしょう》を、顔《かお》にほどこしている。赤色《あかいろ》には魔除《まよ》けの意味《いみ》があったと考《かんが》えられているぞ。

「目力《めぢから》」には、災《わざわ》いをもたらす力《ちから》がある!?

人《ひと》の意志《いし》や内面《ないめん》の強《つよ》さがあらわれた目《め》の表情《ひょうじょう》を「目力《めぢから》」というが、古代《こだい》の人《ひと》びとは目《め》には実際《じっさい》に現実《げんじつ》を動《うご》かす力《ちから》があると信《しん》じていた。それが、にらむだけで他人《たにん》に災《わざわ》いをもたらす「邪視《じゃし》」という考《かんが》えかただ。邪視《じゃし》を防《ふせ》ぐのもまた目《め》の力《ちから》と考《かんが》えられ、目《め》の形《かたち》のお守《まも》りがつくられた。

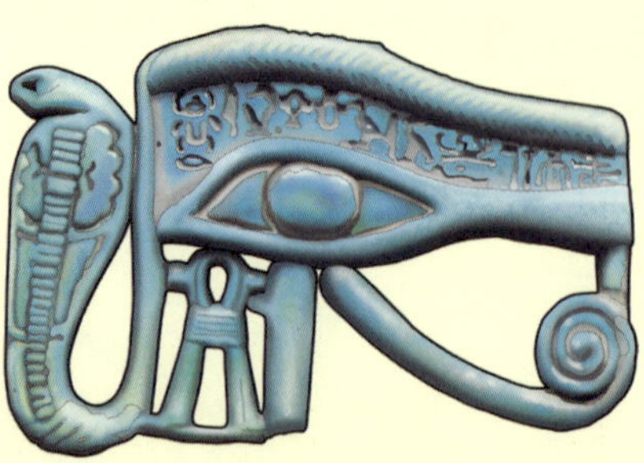

古代《こだい》エジプトのお守《まも》り「ホルスの目《め》」。魔除《まよ》けの力《ちから》があると考《かんが》えられていた。

※巫女《みこ》……神《かみ》に仕《つか》えて、その意志《いし》を人《ひと》びとに告《つ》げる女性《じょせい》。

真《ま》っ白《しろ》は、美《うつく》しい？

エリザベス1世《せい》

色白《いろじろ》がよいとされていたのよ…

白粉《おしろい》を分厚《ぶあつ》く塗《ぬ》り、まるで真《ま》っ白《しろ》な仮《か》面《めん》のような顔《かお》をした16世紀後半《せいきこうはん》のイギリス女王《じょおう》エリザベス1世《せい》の肖像画《しょうぞうが》。当時《とうじ》は、白《しろ》ければ白《しろ》いほど美《うつく》しく、青白《あおじろ》い顔色《かおいろ》のほうが上品《じょうひん》とされた。しかし、白粉《おしろい》の原料《げんりょう》に含《ふく》まれる鉛《なまり》には毒性《どくせい》があり、化粧《けしょう》をすればするほど健康《けんこう》を害《がい》することになってしまった。

つけぼくろ

17～18世紀《せいき》のヨーロッパでは「つけぼくろ」が大流行《だいりゅうこう》した。肌《はだ》に残《のこ》った病気《びょうき》のあとを隠《かく》すためのものが、おしゃれな化粧《けしょう》に変化《へんか》したのだ。

最近《さいきん》は、メイクする男性《だんせい》も多《おお》いわね！
美《うつく》しさの基準《きじゅん》は、時代《じだい》とともに変《か》わってきたんだ！

戦国《せんごく》時代《じだい》の日本《にっぽん》の武士《ぶし》は、白粉《おしろい》や紅《べに》で化粧《けしょう》して戦《いくさ》に臨《のぞ》んだぞ。討《う》ち死《じ》にして首《くび》を取《と》られたとき、化粧《けしょう》をしていないと身分《みぶん》が低《ひく》い者《もの》と見《み》なされたからじゃ。

1963年《ねん》ロンドン郊外《こうがい》
FILE. 6
鍵《かぎ》は世界《せかい》の“キュート”！
〝女性《じょせい》が服《ふく》を自由《じゆう》に着《き》られない時代《じだい》があった〟
そして〝ジョルジュ・サンドのおかげで、女性達《じょせいたち》は権利《けんり》を勝《か》ち取《と》った〟…
George Sand
〝不当《ふとう》に逮捕《たいほ》された彼女《かのじょ》の解放《かいほう》〟…
ペラ
〝異性装《いせいそう》の法律廃止《ほうりつはいし》を求《もと》めて抗議《こうぎ》する女性達《じょせいたち》〟…あれ？

コレって優一《ゆういち》と俊夫《としお》…？
ピカァァッ
後《うし》ろ姿《すがた》がすごく似《に》ているわ…でも、まさかね…
わわぁぁ〜!!
いたた…

優一《ゆういち》!? 俊夫《としお》!? 2人《り》ともどこにいってたのよ!!
急《きゅう》にいなくなって心配《しんぱい》したのよ!
ちょっと服《ふく》の歴史《れきし》を学《まな》びに…なんちゃって…
あっ、それオレらの――…
おいっ
よけいなこと言《い》うな! ウェンディーが混乱《こんらん》するだろ!
そ、それもそうやな…
!?
ウェンディーは…だいじょうぶだったか?
落《お》ちこんだわよ! でも…マリー・クワントの言葉《ことば》の意味《いみ》を知《し》りたくて…
渡《わた》された本《ほん》の中《なか》に答《こた》えを探《さが》していたの…
history of Clothing
何《なん》か分《わ》かったんか?

ええ！服《ふく》はただのおしゃれじゃない！
時代《じだい》ごとに、社会的《しゃかいてき》な役割《やくわり》や意味《いみ》があったんだって！
ミニスカートにも〝思《おも》い〟があった…
マリー・クワントが生《う》み出《だ》したんだったな…
ミニスカートが誕生《たんじょう》する前《まえ》は、女性《じょせい》の肌《はだ》の露出《ろしゅつ》はタブーだったの…
でも、好《す》きな服《ふく》を着《き》られないなんておかしいじゃない？
マリー・クワントはそんな世界《せかい》を変《か》えようとミニスカートを生《う》み出《だ》したんだって！
いま、ミニスカートに文句《もんく》を言《い》う人《ひと》はいない…
彼女《かのじょ》は世界《せかい》を変《か》えたのよ！
服《ふく》が世界《せかい》を変《か》えた…ステキな話《はなし》や！
ええ！私《わたし》もいつか世界《せかい》を変《か》える服《ふく》をつくりたいわ！

ウェンディーなら絶対《ぜったい》できるで！
ああ、まちがいない！
それで、私《わたし》、考《かんが》えたの！私《わたし》の服《ふく》でどう世界《せかい》を変《か》えたいか…
私《わたし》は世界《せかい》を〝キュート〟で包《つつ》みたい！
〝キュート〟なものは見《み》てるだけでときめくし、笑顔《えがお》になるじゃない？
みんなが〝キュート〟に包《つつ》まれれば、世界《せかい》は平和《へいわ》になると思《おも》うのよね！
ウェンディーらしいな、いいと思《おも》う！
うんうん！
あっ！
どうした？
ウェンディーの話《はなし》を聞《き》いて、謎解《なぞと》きの答《こた》えをひらめいたんや！

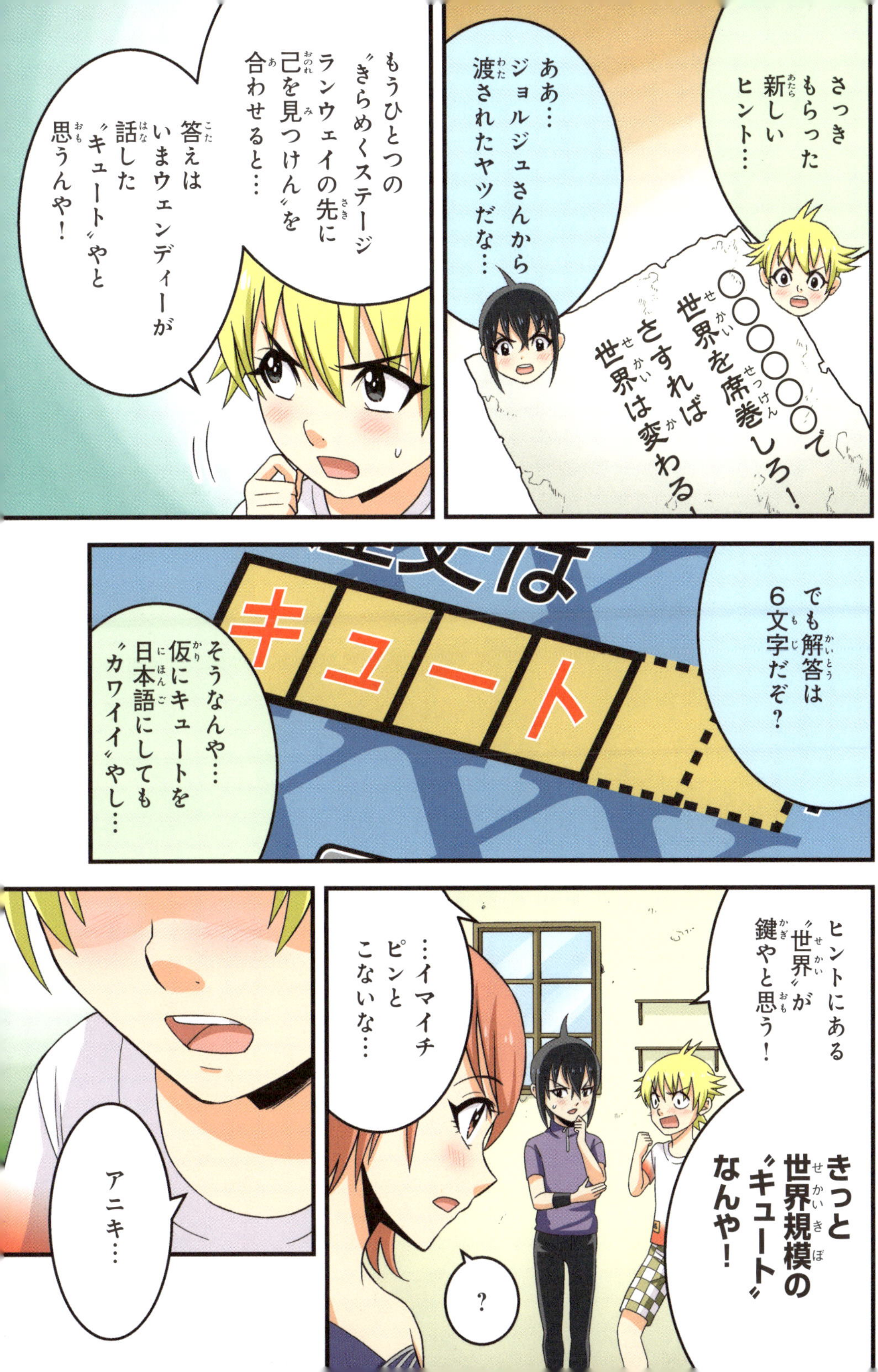
さっきもらった新《あたら》しいヒント…
ああ…ジョルジュさんから渡《わた》されたヤツだな…
○○○○○○で世界《せかい》を席巻《せっけん》しろ!さすれば世界《せかい》は変《か》わる!
もうひとつの〝きらめくステージランウェイの先《さき》に己《おのれ》を見《み》つけん〟を合《あ》わせると…
答《こた》えはいまウェンディーが話《はな》した〝キュート〟やと思《おも》うんや!
でも解答《かいとう》は6文字《もじ》だぞ?
キュート
そうなんや…仮《かり》にキュートを日本語《にほんご》にしても〝カワイイ〟やし…
ヒントにある〝世界《せかい》〟が鍵《かぎ》やと思《おも》う!
きっと世界規模《せかいきぼ》の〝キュート〟なんや!
…イマイチピンとこないな…
?
アニキ…

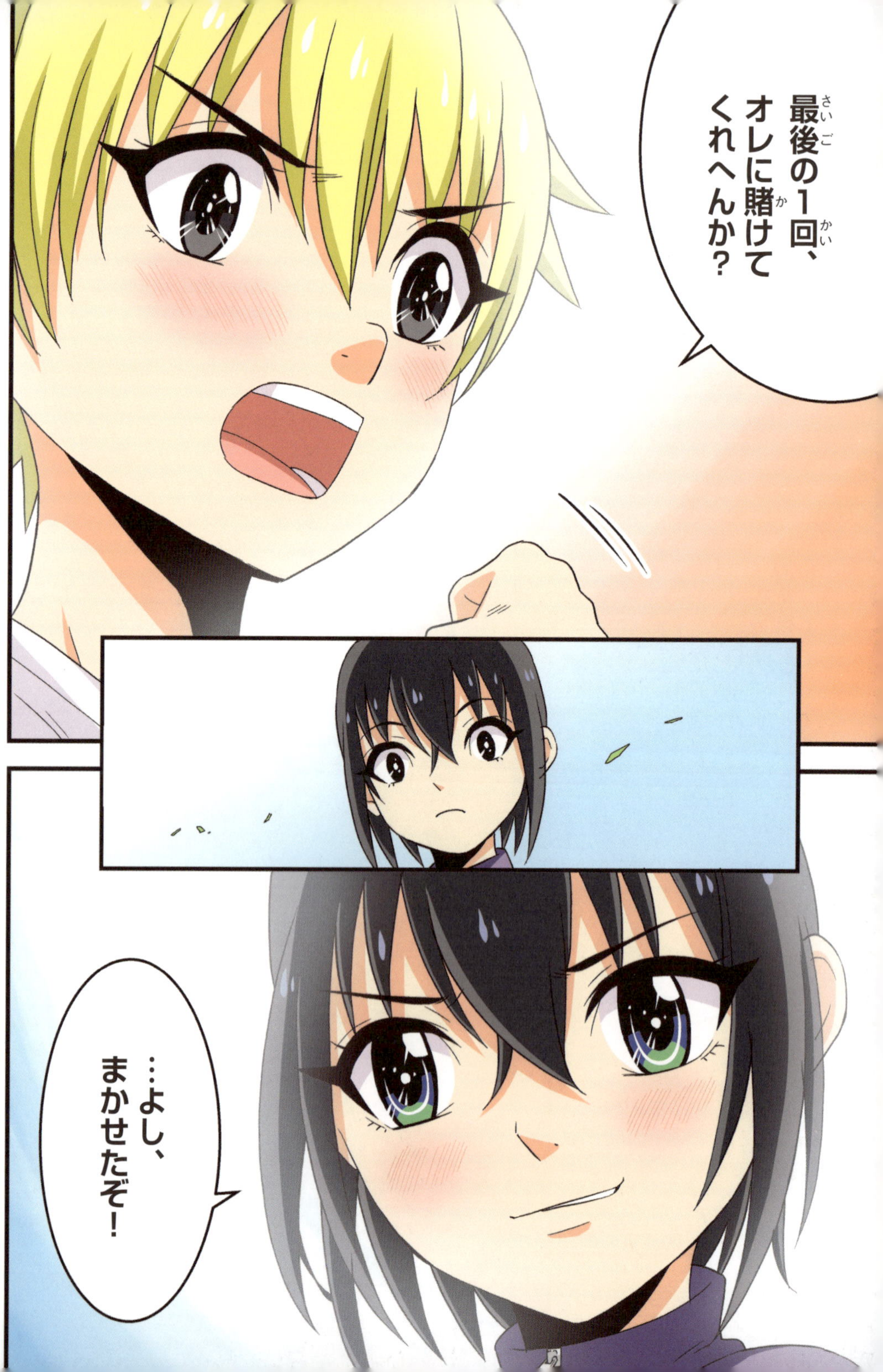
最後《さいご》の1回《かい》、オレに賭《か》けてくれへんか？
…よし、まかせたぞ！

おおきに…
ほないくで！
歴史《れきし》は
KAWAII
なるほど！
そういうことか！
正解《せいかい》なんか!?
どうなんや!?
CLEAR
よっしゃ！
正解《せいかい》や！
ああ、
やったな！

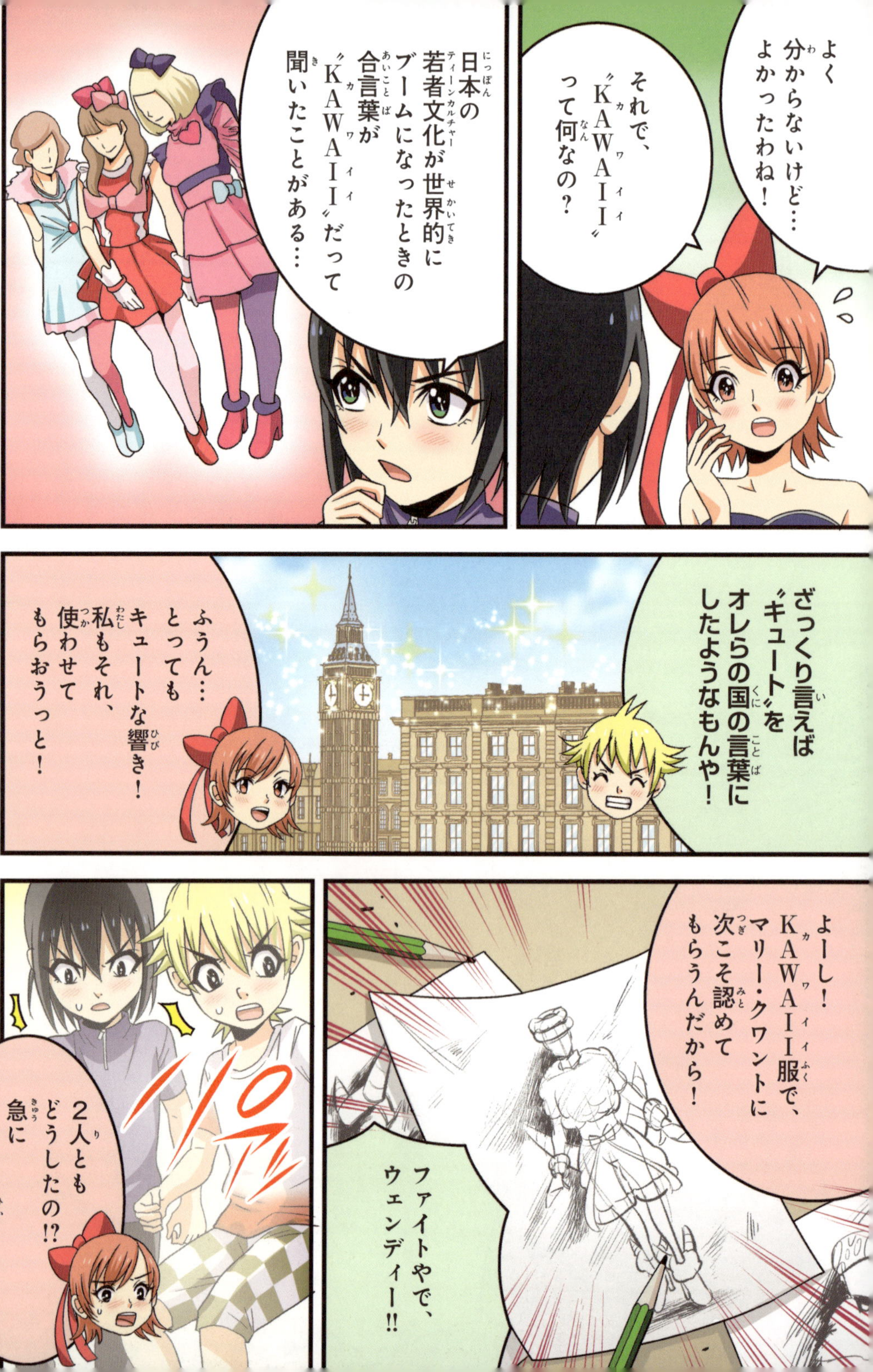
よく分《わ》からないけど…よかったわね！
それで、〝KAWAII《カワイイ》〟って何《なん》なの？
日本《にっぽん》の若者文化《ティーンカルチャー》がブームになったときの合言葉《あいことば》が〝KAWAII《カワイイ》〟だって聞《き》いたことがある…
ざっくり言《い》えば〝キュート〟をオレらの国《くに》の言葉《ことば》にしたようなもんや！
ふうん…とってもキュートな響《ひび》き！私《わたし》もそれ、使《つか》わせてもらおうっと！
よーし！KAWAII《カワイイ》服《ふく》で、マリー・クワントに次《つぎ》こそ認《みと》めてもらうんだから！
ファイトやで、ウェンディー!!
パァッ
2人《り》ともどうしたの!?急《きゅう》にからだが光《ひか》って…

すまないがお別《わか》れだ…
そんな!?急《きゅう》すぎるよ…
ヴ…
ウェンディーの服《ふく》、完成《かんせい》するの楽《たの》しみにしてるで!
ヴヴ…
…うん、分《わ》かった!絶対《ぜったい》にＫＡＷＡＩＩ《カワイイ》服《ふく》を完成《かんせい》させるから!

フッ

ふ〜ん、よくも好《す》き勝手《かって》してくれちゃって…
アイツらの思《おも》いどおりになんかさせないニャ〜〜〜！

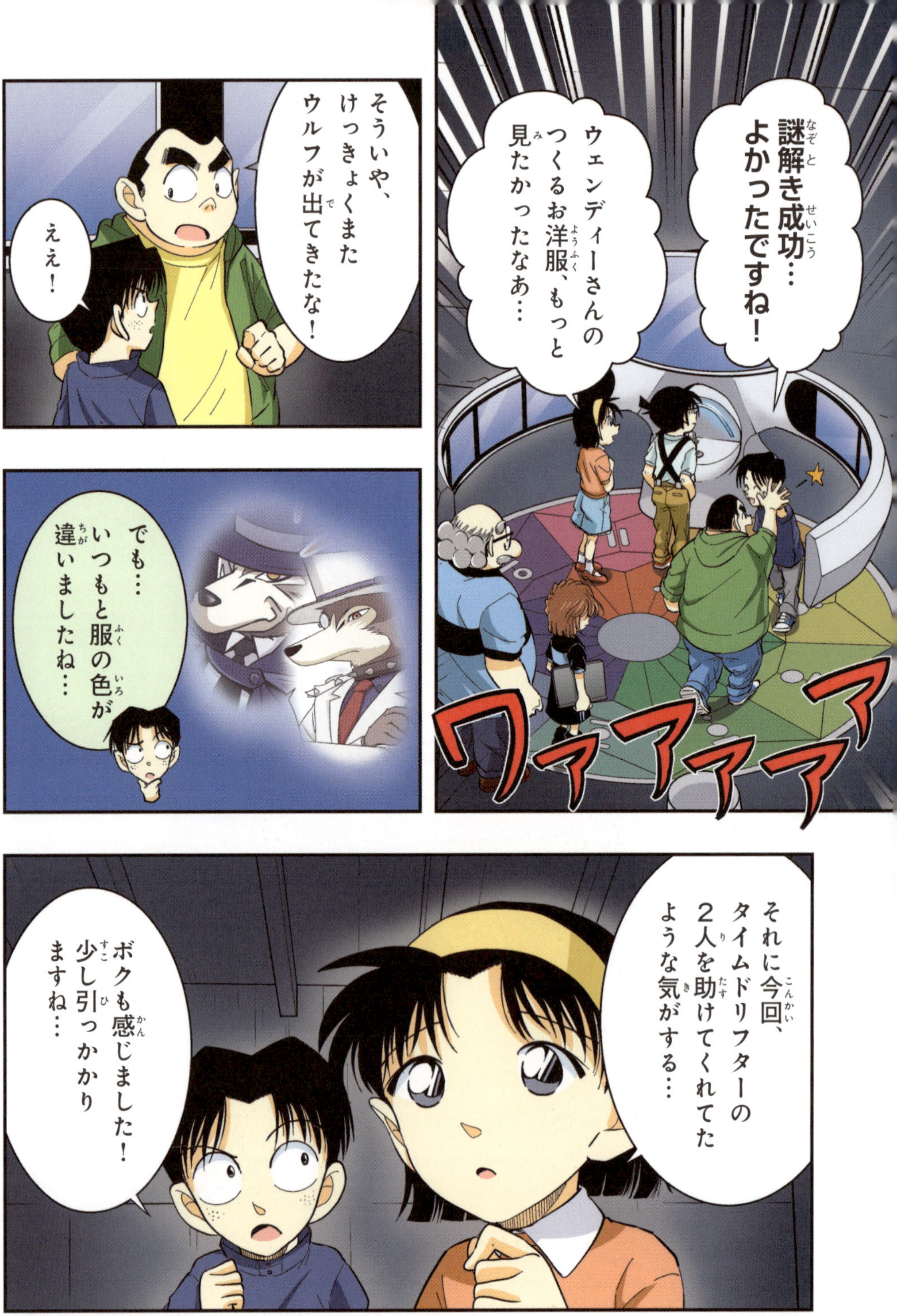
謎《なぞ》解《と》き成功《せいこう》…よかったですね！
ウェンディーさんのつくるお洋服《ようふく》、もっと見《み》たかったなあ…
ワァアアアア
そういや、けっきょくまたウルフが出《で》てきたな！
ええ！
でも…いつもと服《ふく》の色《いろ》が違《ちが》いましたね…
それに今回《こんかい》、タイムドリフターの2人《り》を助《たす》けてくれてたような気《き》がする…
ボクも感《かん》じました！少《すこ》し引《ひ》っかかりますね…

■強敵《きょうてき》、怪盗《かいとう》ウルフと猫盗賊《キャットシーフ》キャラット再《ふたた》び!? さらなる波乱《はらん》の冒険《ぼうけん》がコナン達《たち》を待《ま》っている!!

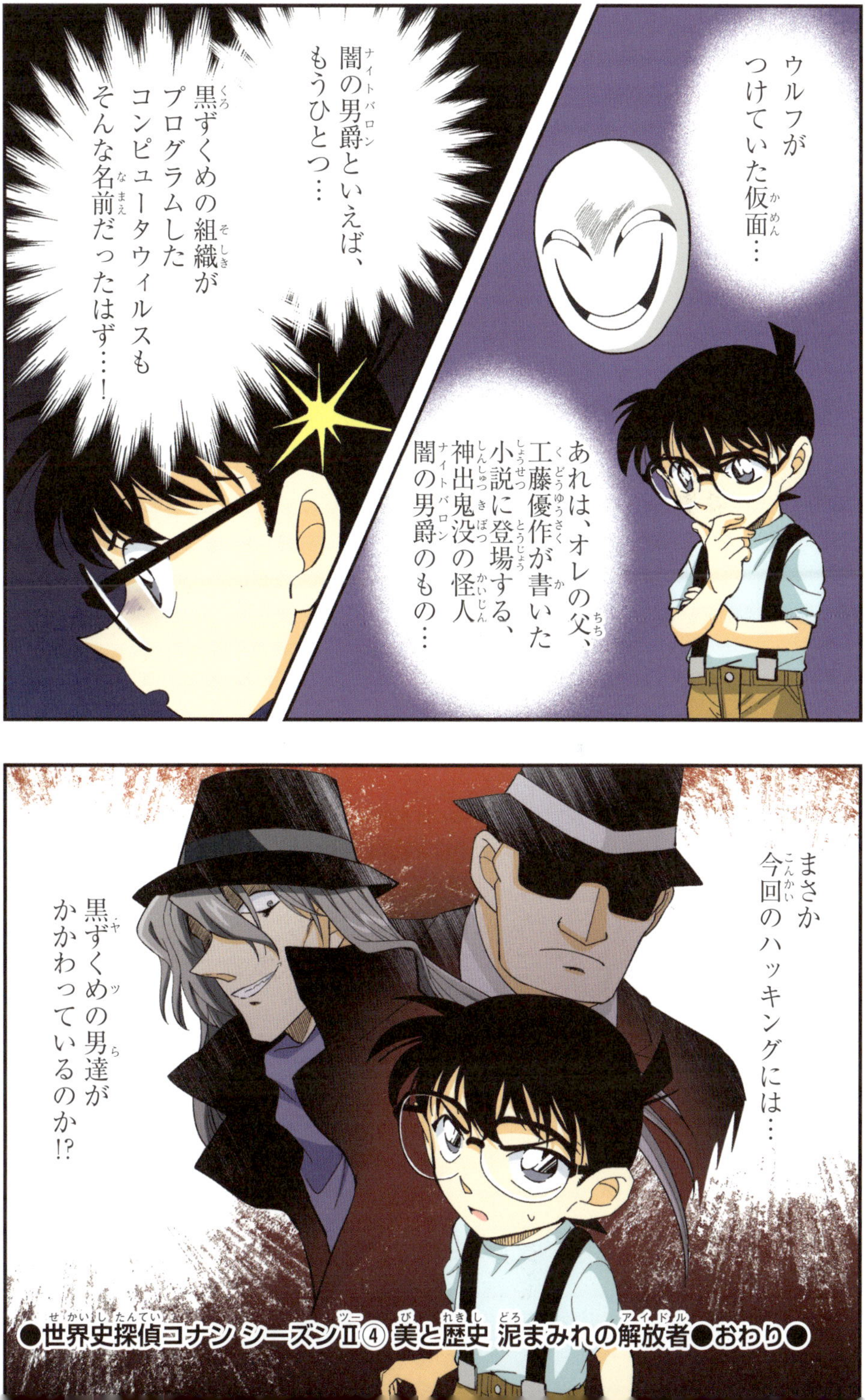

●世界史探偵《せかいしたんてい》コナン シーズンⅡ《ツー》④ 美《び》と歴史《れきし》 泥《どろ》まみれの解放者《アイドル》●おわり●

コナンの推理《すいり》NOTE《ノート》

平安時代《へいあんじだい》から続《つづ》いている？ 日本発《にっぽんはつ》！“カワイイ”文化《ぶんか》

日本人《にっぽんじん》は昔《むかし》から「カワイイ」ものが大好《だいす》きだった！

「スシ」や「テンプラ」、「キモノ」や「マンガ」など、外国人《がいこくじん》にもそのまま伝《つた》わる日本語《にほんご》は多《おお》い。近《きん》年《ねん》、そこに加《くわ》わったのが「カワイイ(kawaii)」だ。キャラクターやファッションから、アイドル、食《た》べ物《もの》などまで、日本発《にっぽんはつ》のさまざまな「カワイイ」は世界《せかい》の共通語《きょうつうご》となって、海外《かいがい》の人《ひと》びとからも愛《あい》されているのだ。

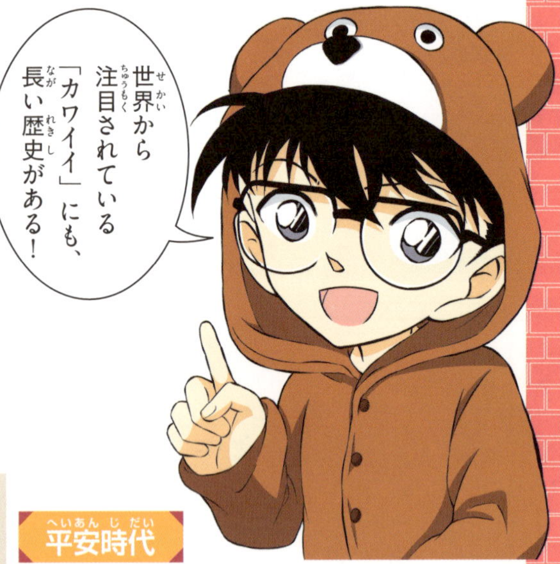
世界《せかい》から
注目《ちゅうもく》されている
「カワイイ」にも、
長《なが》い歴史《れきし》がある！

何《なに》も何《なに》も、
小《ちい》さきものは、
みなうつくし。
清少納言《せいしょうなごん》『枕草子《まくらのそうし》』

平安時代《へいあんじだい》

日本最古《にっぽんさいこ》の随筆《ずいひつ》（※）といわれる平安時代《へいあんじだい》の『枕草子《まくらのそうし》』。作者《さくしゃ》の清少納言《せいしょうなごん》は、その中《なか》にさまざまな「うつくしきもの」を書《か》き残《のこ》している。当時《とうじ》の「うつくしきもの」という言葉《ことば》は、「かわいらしいもの」という意味《いみ》だ。幼児《ようじ》のしぐさから、雛鳥《ひなどり》や雀《すずめ》の様子《ようす》、小《ちい》さな花《はな》や人形遊《にんぎょうあそ》びの道具《どうぐ》などまで、清少納言《せいしょうなごん》が思《おも》いつくままに並《なら》べた15の「うつくしきもの」からは、日本人《にっぽんじん》が1000年前《ねんまえ》の昔《むかし》からさまざまなものごとに「かわいい」を感《かん》じていたことが伝《つた》わってくる。

※随筆《ずいひつ》……作者《さくしゃ》がみずからの見聞《けんぶん》や体験《たいけん》、感想《かんそう》などを、自由《じゆう》な形式《けいしき》で書《か》いた文章《ぶんしょう》。

「KAWAII《カワイイ》」は世界《せかい》の共通語《きょうつうご》だ！

大正時代《たいしょうじだい》

大正時代《たいしょうじだい》の画家《がか》・竹久夢二《たけひさゆめじ》は、みずからデザインした絵封筒《えぶうとう》などの「かあいい（かわいい）」文房具《ぶんぼうぐ》や小物《こもの》を発売《はつばい》。少女達《しょうじょたち》の心《こころ》をとらえ、大正時代《たいしょうじだい》から昭和《しょうわ》時代初《じだいはじ》めにかけて「かわいいブーム」をもたらした。

APL. FOOL

カワイイがいっぱいね！
世界《せかい》が注目《ちゅうもく》！
日本《にっぽん》の
「KAWAII《カワイイ》」

これからの流行《りゅうこう》を生《う》むのは、読者《どくしゃ》のみんなの創造力《そうぞうりょく》だ！

日本語《にほんご》の「カワイイ（kawaii）」は2010年《ねん》から、世界《せかい》でもっとも権威《けんい》ある英語辞典《えいごじてん》『オックスフォード英語辞典《えいごじてん》』に掲載《けいさい》されているぞ。

名探偵コナン歴史まんが

世界史探偵コナン・シーズン2

4 ［美と歴史］ 泥まみれの解放者《アイドル》

2024年7月22日　初版第1刷発行

発行人　野村敦司
発行所　株式会社　小学館
〒101-8001
東京都千代田区一ツ橋2-3-1
電話　編集　03(3230)5632
　　　販売　03(5281)3555

印刷所　TOPPAN株式会社
製本所　牧製本印刷株式会社

ISBN978-4-09-296727-4 Shogakukan.Inc

◆原作／青山剛昌
◆シリーズ構成／田端広英
　カラビナ
◆まんが／谷仲ツナ　鹿賀ミツル　狛枝和生
◆カバーイラスト／太田勝　鹿賀ミツル
◆イラスト／九里もなか　加藤貴夫
◆脚本／能塚裕喜
◆記事構成／田端広英
◆ブックデザイン／竹歳明弘（Studio Beat）
◆カラーリングディレクター／
二野戸聡　蒔田典尚　木村慎司
（株式会社トッパングラフィックコミュニケーションズ）
◆校閲／目原小百合
◆編集協力／増田友梨　鷲尾達哉　和西智哉
（カラビナ）

◆制作／浦城朋子
◆資材／斉藤陽子
◆宣伝／内山雄太
◆販売／藤河秀雄
◆編集／藤田健彦

［参考文献］
『ファッションの記憶ー1960～70年代おしゃれの考現学ー』（伊豆原月絵著、東京堂出版）、『新装版 ファッションの歴史　西洋中世から19世紀まで』（ブランシュ・ペイン著、古賀敬子訳、八坂書房）、『KAWADE夢新書265 服飾の歴史をたどる世界地図 現在のスタイルになった、意外なルーツと変遷とは？』（辻原康夫著、河出書房新社）、『やわらかアカデミズム・〈わかる〉シリーズ よくわかるイギリス近現代史』（君塚直隆編著、ミネルヴァ書房）、『増補新版　ふくろうの本 図説 イギリスの歴史』（指昭博著、河出書房新社）、『ケンブリッジ版世界各国史 フランスの歴史』（ロジャー・プライス著、河野肇訳、創土社）、『増補新装 カラー版 世界服飾史』（深井晃子監修・著、徳井淑子、古賀令子、周防珠実、石上美紀、新居理恵、石関亮著、美術出版社）、『20世紀ファッション 時代をつくった10人』（成実弘至著、河出書房新社）、『世界の民族衣装図鑑』（文化学園服飾博物館編著、ラトルズ）、『WOMEN 女性たちの世界史 大図鑑』（ルーシー・ワーズリー序文、ホーリー・ハールバート監修、戸矢理衣奈日本語版監修、河出書房新社）、『美女の歴史 美容術と化粧術の5000年史』（ドミニク・パケ著、石井美樹子監修、創元社）

※このまんがは、史実を下敷きに脚色して構成しています。